2024-2025年

試験をあてるTAC スーパー予想模試 証券外務員 二種

編著 TAC証券外務員講座

TAC出版
TAC PUBLISHING Group

はじめに

ご存知のように、証券外務員の資格は、金融機関において必須であり、お客様に金融商品を販売するためには、なくてはならない資格です。そのため、内定者の段階で外務員資格を取得させる金融機関が増えており、またTACの教材をご利用いただくケースも増加しています。

このような状況において、TACの法人研修をご利用いただいている大手の証券会社や銀行の内定者、その職員の方々だけでなく、地方の証券会社や銀行、あるいは広く一般に受験される方々にも、外務員の資格に合格していただきたく、TACのノウハウを問題集として公開することといたしました。

本書は、日本証券業協会より発売されている「2024年版　外務員必携」に基づいて、本試験に出題されそうな箇所を問題として作成しております。また本書の構成は、分野ごとにまとめた**分野別問題編**と力試しとしてチャレンジする**模擬試験**の二部構成となっています。なお、分野別問題編のうち、一種・二種で同じ問題が出題されるCHAPTER 1～14につきましては共通問題とすることで、一種・二種ともに受験される方の学習の手間を省いています。

まずは分野別の問題でどのくらい理解しているのか試していただき、最終確認として模擬試験で実力を測ってみてください。この問題集を利用すれば、いつの間にか実力がついていることは間違いありません。ぜひ、頑張っていただきたいと思います。

最後に、証券外務員資格にチャレンジするすべての方が本書を利用して、合格されることを心よりお祈り申し上げます。

2024年6月

TAC証券外務員講座

脅威の的中実績！合格者の声

VOICE 1　**酒井 龍一さん／大手金融機関**

大学１年生のとき、証券外務員二種の試験に合格し、大学２年生のとき、一種が誰でも受験できるようになったことを知り、迷わずTACの証券外務員講座を受講しました。ちょうどそのころ、TACの先生に勧められた証券アナリスト試験の勉強もしていたこともあり、外務員一種の試験に見事１回で合格することができました。さらに大学３年生のとき、証券アナリスト試験にも一発で合格することができ、今は自分が希望していた運用会社で働いております。二種のときと同じように、一種の講義もやはりコンパクトにまとめられ、大学生の私でも理解することができ、効率よく勉強することができました。また、一種の本試験でも、宿題として配布されていたTAC教材の問題集と非常によく似た問題が出題され、本試験について非常に分析しているとやはり感心しました。今社会人として運用会社で働いておりますが、外務員の資格や証券アナリストの資格は、十分仕事に役立っております。数ある専門学校の中で、TACを信じてよかったと本当に感謝しております。

本書は、TAC証券外務員講座のあらゆるノウハウを、
「あたる」と評判のTAC教材に掛け合わせ、書籍化に至ったものです。
ここでは、本講座教材を使用して学習し、
合格を勝ち取った3名を紹介します。彼らの声を聞いてみましょう。

VOICE 2　梶川 麻美さん／有限会社ココ・DE・プランニング

TACでFP講座を受講していたときに、外務員二種の資格に合格し、さらに外務員一種の資格にも挑戦し、見事一回で合格することができました。特に金融資産運用の勉強に非常に役立ったことは言うまでもありません。特に驚かせられたのは、TAC教材の問題集と類似した問題が出題されたことです。知り合いで外務員の資格について相談された場合には、迷わずTACを薦めています。

VOICE 3　増村 大輔さん／学生

大学1年生のとき、金融に興味を持ち、TACで二種の勉強を始め、見事1回で二種の試験に合格することができました。その後、一種も誰でも受験できることを知り、改めてTACで勉強を始めたところ、やはり見事1回で合格することができました。二種と同様に宿題として配布されたTAC教材の問題集は、本試験の問題とほぼ類似していたので、当日は焦らず問題を解くことができました。TACには感謝しております。

TACのノウハウを集約した
「あてる」をやれば、合格まちがいなし！

「外務員試験」学習の悩みに応えます！

証券外務員資格は、銀行や商社などに勤めている人や、金融系業界への就職活動をする学生にとってとても有用な資格です。しかし、いざ勉強を始めようとしたとき、人それぞれさまざまな悩みが出てくるはずです。そこで、よく聞かれる学習上の悩みをあげてみました。

ケース1 新人社員

証券会社に入社して、会社から外務員二種をできる限り早く取得するように言われた。少しでも早くパスして同僚に差をつけたいけど、**効率のいい勉強方法**はないかなぁ?

ケース2 派遣社員

外務員資格を取得して高待遇の証券会社や銀行で仕事がしたい。市販の問題集を使っていたけど、本試験では勉強した内容がほとんど出題されず結果は散々……実際に**出る問題を集中して解きたい**なぁ

ケース3 就職活動者

転職を考えてますが、中途採用で金融業界を目指す場合は外務員資格取得が前提条件のようです。先のことも考えて、試験勉強を進めるとともに**知識も深めたい**です。

ケース4 大学生

金融業界に興味があるので就活のアピール材料がほしい。外務員の資格を持っていると書類審査で有利と聞いたけど、これまでエスカレーター式で大学まできたから**試験慣れしてなくて**……

そんなあなたに本書をオススメします!!

効率よく勉強したい！

本書には、本試験で「出る問題」を厳選して収載しているので、学習に費やした時間がムダになりません。また、分野別問題編では１つひとつの問題に重要度ランクをつけているので、ランクが高いものを優先して解けば、効率的に学習が進められます。

出る問題を集中して解きたい！

本書の原型となったTAC証券外務員講座の問題集は、多くの金融系企業の研修で使用されており、本試験の出題を「あて」まくったことにより好評をいただいています。勉強した内容が出題される驚きを、ぜひ本書で実感してみてください！

知識も深めたい！

TAC証券外務員講座の長年のノウハウを結集した本書では、解説部分も充実しています。重要用語は本書付属の赤シートで隠せるから、用語の暗記学習にも使えて便利！

試験慣れしたい！

本書付属の模擬試験問題（別冊）を解くことで、本試験に向けた演習ができます。また、試験申込から本番当日までの流れが丸ごとわかる「証券外務員試験ガイド」（xiiページ～）を収載しているので、初受験の方でも安心して試験に臨むことができます。

合格をつかむ！「あてる」活用法

1 学習フローチャートを確認

はじめに学習フローチャートで、学習開始から合格までの流れをチェックします。現在の自分がどの位置にいて、合格というゴールまでにどのような段階を踏んでいかなければならないのかを把握しましょう。

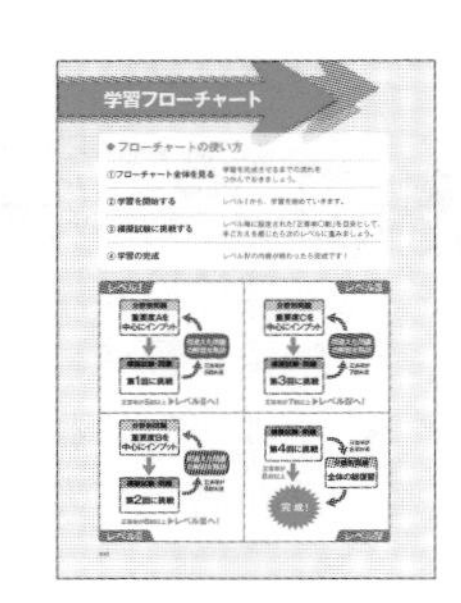

2 CHAPTERごとに全体像をつかむ

まずは分野別問題にチャレンジ！　その前に各CHAPTERの扉にある「CONTENTS」でこれから学ぶ内容を確認しておきましょう。「学習のポイント」には本書独自の分析による最近の出題傾向や重要事項がまとめられているので、必ず読んでおきましょう。

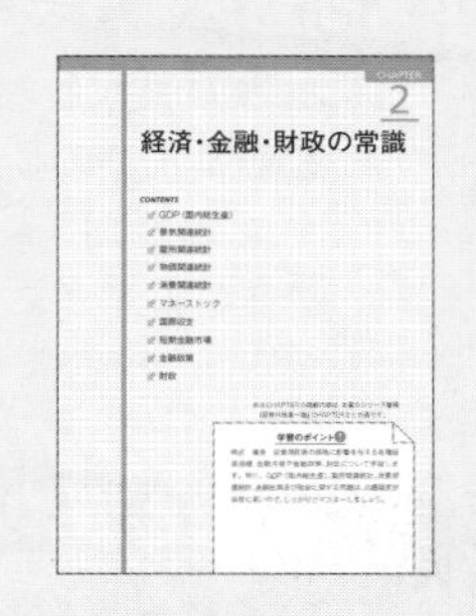

3 分野別問題で知識をインプット

証券外務員試験には○×問題と５肢選択問題があり、本書では問題と解答・解説が左右で見開き構成になっています。また、解答・解説頁ではおさえておくべき計算公式を□で示しています。演習にあたっては①～④に留意してすすめましょう。

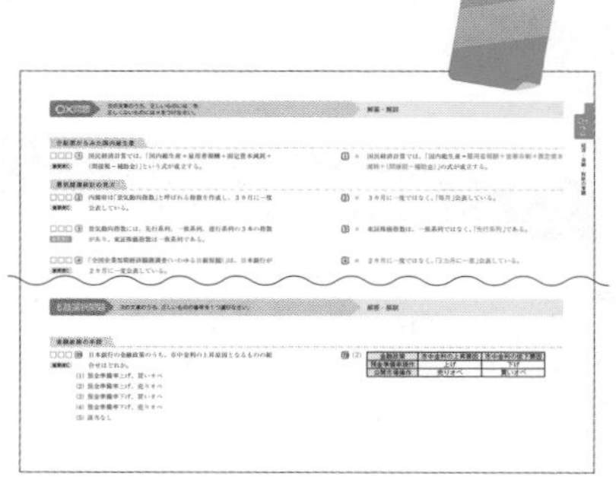

① 重要度の高いAランク問題から解く
② 問題を１つ解くたびに答えあわせをする
③ チェックボックス(□)を活用する
（まちがった問題やもう一度解くべき問題に✓、できた問題に✓など使い方はイロイロ！）
④ 赤シートを使って重要事項をチェック

4

模擬試験問題にチャレンジ！

アラームつきの時計などを使い、時間を計って模擬試験問題を解いてみましょう。制限時間は120分です。本番を意識しながら解いてペース配分をつかみましょう。

5

実力アップにつながる答えあわせをする

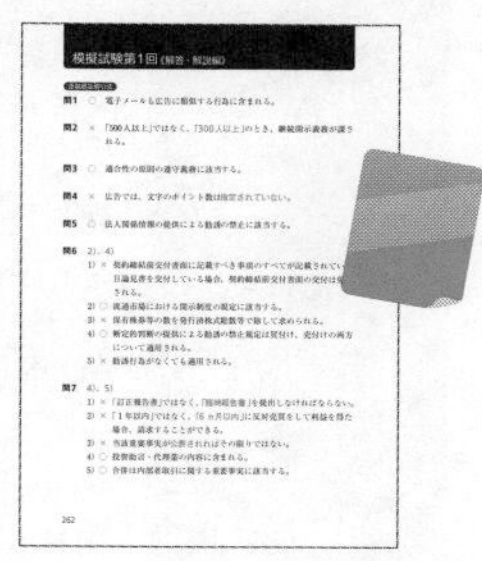

解き終わったら、すぐに「解答・解説編」で答えあわせをしましょう。間違えたものについては、なぜ間違えたのか解説をよく読んで検証し、次は必ず正解できるようにすることで実力がつきます。重要事項は色付き文字になっているので、赤シートを活用しましょう！

6

復習をする

学習フローチャートに沿って2 ～ 5を繰り返し、模擬試験の第４回までを解き終えたときには、合格レベルの実力が身についているはずです。その時点でまだ本試験までの時間が残っていたら、分野別問題のうち重要度Ａランクの問題を中心に復習し、実力をより完璧なものにしておきましょう。

二種外務員試験の概要

外務員資格試験は、外務員としての資質を確認するために日本証券業協会が実施しています。資格試験に合格したものは、協会の協会員を通じて、外務員登録原簿に登録を受けることで、外務員の職務を行うことができるようになります。

二種外務員試験概要

受験資格	特に制限なし。年齢などにかかわらず誰でも受験可能
試験実施日	通年で実施（土日・祝日、年末年始休業を除く）
試験会場	全国の主要都市に設置されている試験会場（テストセンター）
受験料	13,860円（税込）　※別途手数料がかかります。
試験時間	120分
出題数	70問（○×式50問、五肢選択式20問）
合否判定基準	300点満点中210点（70%）以上の得点で合格
試験の方法	CBT（Computer Based Testing：コンピュータを利用した試験）を採用。 試験会場に備えられたPC（パソコン）により行われ、PCの操作にはマウスを使用します。
合否の通知	試験終了後に試験結果（正解率）が画面に表示されます。
受験申込	プロメトリック（株） https://www.prometric-jp.com/examinee/test_list/archives/17 受験申込期間：試験日の60日前から試験日の５営業日前まで

注）上記内容は刊行時のデータに基づきます。
最新の情報は日本証券業協会のホームページ（https://www.jsda.or.jp/）をご確認ください。

予想出題数・配点一覧

科目ごとの出題数・配点予想一覧

二種外務員試験は次のような出題科目(項目)で成り立っています。最新の傾向から、出題科目別の出題数・配点を下表のように予想しました。学習を行う際の目安にしてください。

科　目（本書におけるCHAPTER順）		予想出題数		予想配点
		○×式問題	五肢選択式問題	
CH1	証券市場の基礎知識	1問	1問	12点
CH2	経済・金融・財政の常識	0問	2問	20点
CH3	株式業務	5問	2問	30点
CH4	債券業務	5問	3問	40点
CH5	投資信託及び投資法人に関する業務	7問	2問	34点
CH6	証券税制	5問	1問	20点
CH7	株式会社法概論	5問	1問	20点
CH8	付随業務	0問	1問	10点
CH9	財務諸表と企業分析	5問	1問	20点
CH10	金融商品取引法	5問	2問	30点
CH11	金融商品の勧誘・販売に関係する法律	3問	0問	6点
CH12	協会定款・諸規則	4問	3問	38点
CH13	取引所定款・諸規則	5問	0問	10点
CH14	セールス業務	0問	1問	10点
合　計		50問（1問2点）	20問（1問10点）	300点

はじめての受験でも安心！

Q&A

証券外務員試験ガイド

Guide 1 ベーシックQ&A

Q 未成年でも試験を受けることはできるの？

A 受験できます。年齢・国籍などに関係なく、誰でも受けることができます。

Q 試験会場ってどこにあるの？　自分で選べるの？

A 全国47都道府県内各地に設置されており、すべての会場から任意で選択することができます。会場のタイプは、教育サービス系法人、NPO法人、大学、高等学校、専門学校、パソコン教室などがあります。

地域別試験会場数(2024年4月時点)　合計173カ所

地域	会場数	地域	会場数
北海道・東北	32	関東(東京都以外)	29
関東(東京都)	10	中部	27
近畿	22	中国	17
四国	7	九州・沖縄	29

Q いつ受けられるの？

A 祝日および年末年始休業期間中を除く月～金曜日に実施されています。ただし、試験会場によって実施状況が異なるので申込みの際に確認しましょう。

Q 受験の申込方法はどうやるの？

A 下記ウェブサイトよりオンラインで申込みをしてください。

プロメトリック(株)

https://www.prometric-jp.com/examinee/test_list/archives/17

Q 試験会場に何を持っていけばいいの？

A 受験者が持参するものは次のⅠ～Ⅱの２つです。

証券外務員試験はCBT試験であり、試験日も自由に選べるなど通常の国家試験などとは異なる点が多く、受験方法につき、不安を抱えていらっしゃる受験生も多いことでしょう。本試験前に、こういった様々な不安を解消しておくことも受験対策のうちの1つです。このガイドでは、よくある受験生の疑問と試験の流れについてまとめました。本ガイドを熟読し、受験手続上の不安を一掃しましょう！
（試験会場により、一部異なる場合もあります）

Ⅰ 本人確認書類（以下①～⑤のいずれか）

①運転免許証　②パスポート　③マイナンバーカード

④在留カード又は特別永住者証明書（外国人の場合）

⑤運転経歴証明書（2012（平成24）年4月1日以後に交付されたものに限る）

※ 学生証は不可。

Ⅱ 確認書

プロメトリック（株）への受験料支払い完了時にウェブ上で発行されます。集合時刻や会場の地図などの情報が記載されているため、画面を印刷し、持ち運びできるようにしておきましょう。

確認書の内容

◉試験日・試験科目・受付締切時間　◉試験会場情報

◉当日必要な本人確認書類　◉試験予約の変更期限

Ⅲ プロメトリックID

プロメトリックが実施している認定試験を受験する際に必要なIDで、数秒で発行されます。アルファベット2桁＋数字7桁の番号で構成されています。このIDは本試験当日、受付より貸し出され、試験室に持って行きます。

なお、IDを取得するには、有効なEメールアドレスが必要です。

Q 合否っていつ、どのようにわかるの？

A 試験終了直後、試験結果が画面に表示されることで合否がわかります。

次ページから本試験までの流れを確認！

Guide 2　試験前～本試験の流れ

試験前

◆「PCによる試験(CBT：Computer Based Testing)」をデモ体験しておく

プロメトリック(株)のホームページから、オンラインで練習ができます。次のURLからアクセスして、操作方法などを体験しておきましょう。

プロメトリック(株) CBT体験版(問題内容は外務員試験のものとは異なります)
https://www.prometric-jp.com/examinee/procedure/

本試験(当日)

◆自　宅

✓ **持ち物のチェック**

□ 本人確認書類　　□ 確認書

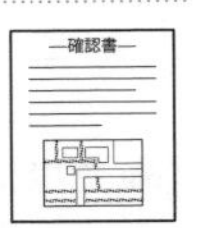

◆受　付

◉本人確認書類の提示
◉入場時刻の記入を行う
◉受験規定への同意・署名
◉ロッカーキーとプロメトリックIDの受取り

◆ ロッカー室

◉ロッカーキー番号のロッカーを使用

◉「本人確認書類」「プロメトリックID」以外の荷物をすべて入れる

◉カギをかける

◆ 試験室（テストルーム）

◉ロッカーキーの番号の席につく

◉ＩＤ番号と名前を入力して認証を行う

◉画面上の指示に従って操作し、試験を開始する。

（試験開始から120分が経過すると自動的に終了）

※机の上にメモ用紙と筆記具が用意されています。

※任意のタイミングで試験の「開始」「終了」ができます。

※試験会場によっては、ロッカーキーの番号と着席の番号とが異なる場合もあります。

試験後

◆ ロッカー室

・荷物を取り出す

◆ 受　付

・退場時刻の記入を行う

☆「受験結果通知」（合否通知）の見方

試験後に「受験結果通知」がメールで届きます。

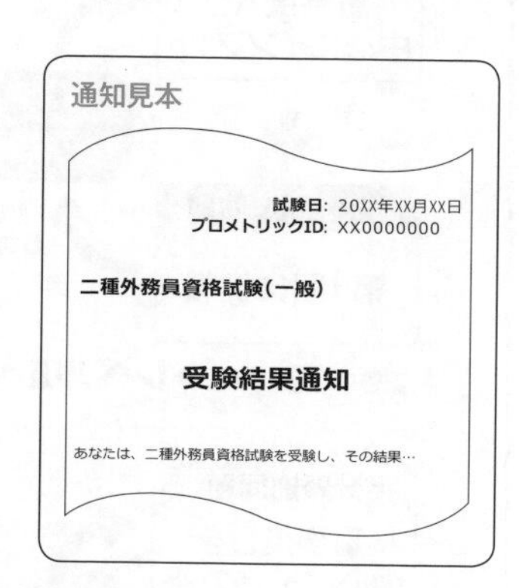

通知見本

試験日: 20XX年XX月XX日
プロメトリックID: XX0000000

二種外務員資格試験（一般）

受験結果通知

あなたは、二種外務員資格試験を受験し、その結果…

◎合格～外務員として仕事を始めるまで

外務員試験合格

▼

日本証券業協会に加入している金融商品取引業者（企業など）に就職

▼

所属している金融商品取引業者から外務員登録

▼

外務員の仕事が可能！

学習フローチャート

◆ フローチャートの使い方

①フローチャート全体を見る	学習を完成させるまでの流れをつかんでおきましょう。
② 学習を開始する	レベルⅠから、学習を始めていきます。
③ 模擬試験に挑戦する	レベル毎に設定された「正答率○割」を目安として、手ごたえを感じたら次のレベルに進みましょう。
④ 学習の完成	レベルⅣの内容が終わったら完成です！

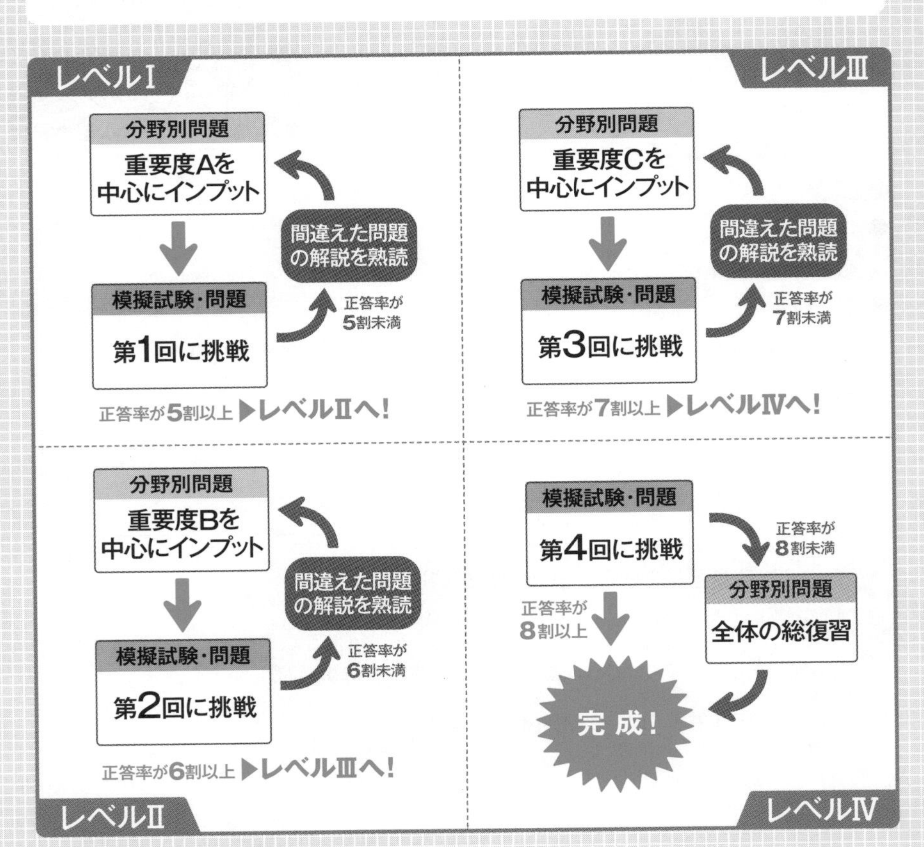

CONTENTS

分野別問題編

CHAPTER

1

証券市場の基礎知識

CONTENTS

- 証券市場（金融商品市場）
- 発行市場と流通市場
- 証券市場の関係者

※本CHAPTERの掲載内容は、本書のシリーズ書籍『証券外務員一種』CHAPTER 1と共通です。

学習のポイント！

証券市場（金融商品市場）のしくみとその担い手である金融商品取引業者（証券会社）の役割などを中心に学習します。特に、金融商品取引業界の参加者である自主規制機関等についてはよく出題されています。

○×問題

次の文章のうち、正しいものには○を、
正しくないものには×をつけなさい。

直接金融と間接金融

□□□ 1 重要度A
企業の資金調達方法のうち、株式の発行及び債券の発行によるものは、直接金融に区分される。

□□□ 2 重要度A
証券市場（金融商品市場）のうち、株式市場における資金調達は「直接金融」に分類され、債券市場における資金調達は「間接金融」に分類される。

発行市場と流通市場

□□□ 3 重要度C
発行市場とは、資金調達の目的で新規に発行される証券が、発行者から直接にあるいは仲介者を介して投資者に第１次取得される市場（Primary market）のことをいう。

□□□ 4 重要度C
発行市場とは、取得されて既発行となった証券が、第１次投資者から、第２次、第３次の投資者に転々流通（売買）する市場である。

□□□ 5 重要度C
有価証券が発行者から直接に、あるいは金融商品取引業者等の仲介者を介して、投資者に第１次取得される市場を「流通市場」という。

□□□ 6 重要度C
有価証券が発行者から直接にあるいは金融商品取引業者等の仲介者を介して投資者に第１次取得される市場を「発行市場」という。

二つの市場の相互関係

□□□ 7 重要度C
発行市場と流通市場は、互いに独立した別々の市場であり、両市場は有機的に結びついてはいない。

解答・解説

1 ○ 証券市場において資金調達することを直接金融といい、企業が株式や債券を発行して資金調達する方法は「直接金融」に区分される。

2 × 株式市場及び債券市場における資金調達は「直接金融」に分類される。これに対し、銀行等の金融機関からの融資による資金調達は「間接金融」に分類される。

3 ○ 発行市場は、資金調達の目的で新規に発行される証券（株券、債券など）が、発行者から直接にあるいは金融商品取引業者等の仲介者を介して投資者に第１次取得される市場である。

4 × 記述は、「流通市場」の説明である。発行市場とは資金調達の目的で新規に発行される証券が発行者から直接にあるいは仲介者を介して投資者に第１次取得される市場のことである。

5 × 発行者から直接に、あるいは金融商品取引業者等の仲介者を介して、投資者に第１次取得される市場は「発行市場」である。

6 ○ 上記45を参照のこと。

7 × 発行市場と流通市場は、無関係ではなく、お互いに密接に関連し合っている（有機的に結びついている）。

取引所市場と店頭市場

□□□ 8 流通市場は、金融商品取引業者や投資者相互間で既発行証券が売買(流通)されている場の総称であり、金融商品取引所の開設する取引所市場とそれ以外の市場、いわゆる店頭市場等に分けられる。
重要度C

金融商品取引業

□□□ 9 金融商品取引業とは、「証券という金融手段を媒体として、証券市場における売買取引を通じて金融仲介機能を果たす専門機関が行う業務」ということができる。
重要度C

□□□ 10 内閣総理大臣の登録を受けた者でなければ、金融商品取引業を営むことはできない。
重要度A

□□□ 11 金融商品取引業者とは、内閣総理大臣の認可を受け、金融商品取引業を営む者をいう。
重要度A

投資者保護

□□□ 12 金融商品取引法上の投資者保護とは、すべての証券価格を保証することをいう。
重要度A

□□□ 13 投資者保護とは、証券投資に関する情報を、正確かつ迅速に投資者が入手でき、また、不公正な取引の発生から投資者を回避させることが基本である。
重要度A

□□□ 14 いわゆる「自己責任原則」とは、投資者は、自己の判断と責任で投資行動を行い、その結果としての損益はすべて投資者に帰属することをいう。
重要度C

8 ○ 取引所市場以外の売買の形態には、PTS（私設取引システム）などがある。

9 ○ 金融仲介機能を果たしている。

10 ○ 金融商品取引業を営むためには、内閣総理大臣（金融庁長官）の登録を受けなければならない。

11 × 金融商品取引業者とは、内閣総理大臣（金融庁長官）の登録を受け、金融商品取引業を営む者をいう。

12 × 金融商品取引法上の投資者保護とは、投資証券の価格を保証するものではない。なお、投資者保護とは「金融商品投資に関する情報を、正確かつ迅速に投資者が入手でき、また、不公正な取引の発生から投資者を回避させること」が基本である。

13 ○ 預金者保護とは異なり、投資元本の保全を保証するものではない。

14 ○ なお、投資勧誘にあたって、損益をあらかじめ約束したり、保証するものでもありません。

□□□ 15 投資者は、自己の判断と責任の下に投資行動を行う必要があるが、その結果として生じた損失が少額である場合に、金融商品取引業者がその損失を補塡することをあらかじめ約しておくことは、投資者保護の観点から、必ずしも不適切な行為とはいえない。
重要度A

自主規制機関

□□□ 16 日本証券業協会は、金融商品取引業界における自主規制機関の1つである。
重要度A

□□□ 17 わが国で現在、自主規制機関と呼ばれる金融商品取引業界の主要な団体には、「各証券取引所」、「日本証券業協会」、「投資信託協会」の3団体がある。
重要度C

証券取引等監視委員会

□□□ 18 証券取引等監視委員会は、金融商品取引業界における自主規制機関の1つである。
重要度A

□□□ 19 証券取引等監視委員会には、インサイダー取引や相場操縦等の公正を損なう行為についての強制調査権が付与されている。
重要度A

証券保管振替機構（ほふり）

□□□ 20 証券保管振替機構は、国債以外の有価証券の決済及び管理業務を集中的に行う日本で唯一の証券決済機関である。
重要度C

投資者保護基金

□□□ 21 投資者保護基金の補償対象顧客に、適格機関投資家は含まれない。
重要度C

⑮ × 損失が少額であっても、金融商品取引業者がその損失を補塡することをあらかじめ約しておくことは金融商品取引法で禁止されており、投資者保護の観点からも、不適切な行為である。

---

⑯ ○ 金融商品取引業規制方式には、監督官庁（金融庁）による公的規制だけでなく、自主規制機関による自主規制があり、法律によって、広範な自主規制の権限を与えられた団体のことを「自主規制機関」という。自主規制機関には日本証券業協会も含まれる。

⑰ ○ 主要な自主規制機関は３団体である。

---

⑱ × 証券取引等監視委員会は、公的規制機関の１つである。

⑲ ○ 公的規制機関である証券取引等監視委員会には、一定の強制調査権が与えられており、違反者に対する課徴金納付命令の発出を金融庁長官に勧告したり、違反者を捜査当局に告発することもできる。

---

⑳ ○ 株式、社債、投資信託といった有価証券の振替制度を運営している。

㉑ ○ 投資者保護基金の補償対象顧客には、銀行、金融商品取引業者、保険会社、信用金庫、信用組合、投資事業有限責任組合、厚生年金基金、外国政府及び外国の金融機関などの適格機関投資家は含まれない。

□□□ 22 投資者保護基金の補償対象になる預り資産に、信用取引に係る保証金及び代用有価証券は含まれない。
重要度B

□□□ 23 投資者保護基金の補償対象になる預り資産に、付随業務等により寄託を受けている金銭は含まれない。
重要度B

□□□ 24 投資者保護基金の補償限度額は、顧客１人当たり3,000万円とされている。
重要度A

□□□ 25 投資者保護基金の補償対象は、適格機関投資家などを除く顧客の預かり資産であり、補償限度額は、顧客１人当たり3,000万円までである。
重要度A

証券金融会社

□□□ 26 証券金融会社は、金融商品取引法に基づく資本金１億円以上で内閣総理大臣の免許を受けた証券金融専門の株式会社である。
重要度C

□□□ 27 証券金融会社の主要業務に、金融商品取引業者に対して、信用取引の決済に必要な金銭又は有価証券を貸し付ける業務がある。
重要度C

□□□ 28 証券金融会社は、金融商品取引法に基づき内閣総理大臣から免許を受け、信用取引の決済に必要な金銭又は有価証券を金融商品取引業者に貸し付ける業務を行っている。
重要度C

サステナブルファイナンス

□□□ 29 ＥＳＧ要素を考慮した投資の手法として、特定の業界、企業、国を投資対象から除外したネガティブ／除外スクリーニングがある。
重要度A

22 × 投資者保護基金の補償対象となる預り資産には、信用取引に係る保証金及び代用有価証券も含まれる。

23 × 投資者保護基金の補償対象になる預り資産には、付随業務等により寄託を受けている金銭も含まれる。

24 × 投資者保護基金の補償限度額は、顧客１人当たり1,000万円である。

25 × 投資者保護基金の補償対象は、適格機関投資家などを除く顧客の預かり資産であるが、補償限度額は、顧客１人当たり1,000万円までである。

---

26 ○ なお、合併等を経て、2024年４月１日現在、証券金融会社は日本証券金融株式会社（日証金）１社のみとなっている。

27 ○ 証券金融会社とは、金融商品取引法に基づき、内閣総理大臣の免許を受けた、資本金１億円以上の証券金融専門の株式会社であり、主要業務には、信用取引の決済に必要な金銭や有価証券を金融商品取引業者に貸し付ける業務がある。

28 ○ なお、証券金融会社は、金融商品取引業者またはその顧客に対し、有価証券または金銭を担保として、金銭または有価証券を貸し付ける（一般貸付）業務も行っている。

---

29 ○ ネガティブ／除外スクリーニングは、投資対象外と考える活動に基づいて、特定のセクター、企業、国、その他の発行体をファンドやポートフォリオから除外することである。

□□□ 30 サステナブルファイナンスにおいて、教育(Education)、社会(Social)、ガバナンス(Governance)の３つの要素を投資決定に組み込むことをＥＳＧ投資という。

重要度A

□□□ 31 ＥＳＧ投資において考慮すべき要素として、気候変動がある。

重要度A

□□□ 32 環境や社会的課題を解決するプロジェクトに資金提供する債券のうち、環境にポジティブなインパクトを与えるプロジェクトに資金使途を限定して発行する債券を「サステナビリティ・リンク・ボンド」という。

重要度A

30 × サステナブルファイナンスにおいて、環境(Environmental)、社会(Social)、ガバナンス(Governance)の３つの要素を投資決定に組み込むことをＥＳＧ投資という。

31 ○ サステナブルファイナンスとは、特定の金融商品や運用スタイルを指すものではなく、持続可能な社会を支える金融制度や仕組み、行動規範、評価手法等の全体像を指し、特に注目される課題は気候変動である。

32 × 環境にポジティブなインパクトを与えるプロジェクトに資金使途を限定して発行する債券は「グリーン・ボンド」である。なお、「サステナビリティ・リンク・ボンド」や「トランジション(移行)・ボンド」は資金使途を限定しない債券である。

CHAPTER
2

経済・金融・財政の常識

CONTENTS

- GDP（国内総生産）
- 景気関連統計
- 雇用関連統計
- 物価関連統計
- 消費関連統計
- マネーストック
- 国際収支
- 短期金融市場
- 金融政策
- 財政

※本CHAPTERの掲載内容は、本書のシリーズ書籍『証券外務員一種』CHAPTER2と共通です。

学習のポイント！

株式・債券・投資信託等の価格に影響を与える各種経済指標、金融市場や金融政策、財政について学習します。特に、GDP（国内総生産）、雇用関連統計、消費関連統計、金融政策及び財政に関する問題は、出題頻度が非常に高いので、しっかりとマスターしましょう。

○×問題

次の文章のうち、正しいものには○を、
正しくないものには×をつけなさい。

分配面からみた国内総生産

□□□ 1 国民経済計算では、「国内総生産＝雇用者報酬＋固定資本減耗＋（間接税－補助金）」という式が成立する。
重要度C

景気関連統計の見方

□□□ 2 内閣府は「景気動向指数」と呼ばれる指数を作成し、３カ月に一度公表している。
重要度C

□□□ 3 景気動向指数には、先行系列、一致系列、遅行系列の３本の指数があり、東証株価指数は一致系列である。
重要度A

□□□ 4 「全国企業短期経済観測調査（いわゆる日銀短観）」は、日本銀行が２カ月に一度公表している。
重要度C

消費の決定要因

□□□ 5 所得から所得税等、健康保険料、年金保険料、雇用保険料等を差し引いたものを可処分所得という。
重要度A

□□□ 6 家計貯蓄とは、所得から可処分所得を差し引いて求められる。
重要度C

□□□ 7 消費関連指標のうち、「家計貯蓄率」は、家計貯蓄を財産所得で除して求められる。
重要度A

□□□ 8 可処分所得のうち実際に消費として支出される割合を平均消費性向という。
重要度A

解答・解説

1 ×　国民経済計算では、「国内総生産＝雇用者報酬＋営業余剰・混合所得＋固定資本減耗＋(間接税－補助金)」の式が成立する。

2 ×　３カ月に一度ではなく、「毎月」公表している。

3 ×　東証株価指数は、一致系列ではなく、「先行系列」である。

4 ×　２カ月に一度ではなく、「3カ月に一度」公表している。

5 ○　「可処分所得＝所得－所得税等－社会保険料等」

6 ×　家計貯蓄は、可処分所得から消費支出を差し引いて求められる。

7 ×　消費関連指標のうち、「家計貯蓄率」は、家計貯蓄を可処分所得で除して求められる。

8 ○　平均消費性向とは、可処分所得に対する消費支出の割合のことである。

住宅関連統計の見方

□□□ 9 重要度B

住宅関連統計のうち、「住宅着工統計」は、工事着工ベースであるため、新設住宅着工戸数は景気の変動に先行して動く傾向があり、景気先行指標として利用される。

雇用関連指標の種類と特徴

□□□ 10 重要度C

労働力人口の定義とは、就業者数と完全失業者数を合計したものであり、15歳以上人口のうち、働く意思を持っている者の人口のことである。

□□□ 11 重要度A

有効求人倍率は、一般に好況期に上昇し、不況期に低下する。

□□□ 12 重要度A

有効求人倍率が1を上回るということは、仕事が見つからない人が多く、逆に1を下回るということは、求人が見つからない企業が多いということを意味する。

□□□ 13 重要度B

雇用関連指標のうち「完全失業率」は、完全失業者数を労働力人口で除して求められる。

□□□ 14 重要度C

雇用関連指標のうち「労働力人口比率」とは、労働力人口を15歳以上の人口で除して求められる。

□□□ 15 重要度A

雇用関連指標のうち「有効求人倍率」は、有効求人数を有効求職者数で除して求められる。

9 ○

10 ○

労働力人口＝就業者数＋完全失業者数

11 ○

$$有効求人倍率(倍)=\frac{有効求人数}{有効求職者数}$$

12 × 有効求人倍率が1を上回るということは、求人が見つからない企業が多く、逆に1を下回るということは、仕事が見つからない人が多いことを意味する。

13 ○

$$完全失業率(\%)=\frac{完全失業者数}{労働力人口}\times 100$$

14 ○

$$労働力人口比率(\%)=\frac{労働力人口}{15歳以上人口}\times 100$$

15 ○

$$有効求人倍率(倍)=\frac{有効求人数}{有効求職者数}$$

□□□ 16 100人の求職者数に対して、60人の求人数がある場合の有効求人倍率は、1.2倍(小数第2位以下切捨て)である。
重要度C

物価関連統計及び消費関連統計

□□□ 17 物価に関する指標である「企業物価指数」は、企業間で取引される中間財の価格であり、国内企業物価指数、輸出物価指数、輸入物価指数と、これら3つを組み替えたり、調整を加えたりした参考指数がある。
重要度B

□□□ 18 消費者物価指数(CPI)の算出に当たっては、直接税や社会保険料等の非消費支出、土地や住宅等のストック価格は含まれない。
重要度B

□□□ 19 物価関連指標のうち「GDPデフレーター」は、実質GDPを名目GDPで除して求めることができる。
重要度A

マネーストック

□□□ 20 マネーストックとは、国や金融機関が保有する預金等のことをいう。
重要度A

□□□ 21 マネーストック統計において、要求払預金はM1に計上される。
重要度A

国際収支

□□□ 22 経常収支は、貿易・サービス収支、第一次所得収支、第二次所得収支の3つの合計として求めることができる。
重要度C

⑯ × 60人÷100人＝0.6倍である。

---

⑰ ○

⑱ ○ なお、消費者物価指数は、家計が購入する消費財やサービスの小売価格を対象とした指数で、総務省が調査・発表する。

⑲ × 「GDPデフレーター」は、名目GDPを実質GDPで除して求められる。

---

⑳ × マネーストックとは、金融機関を除く一般の法人、個人および地方公共団体が保有する通貨の量のことであり、国や金融機関が保有する預金等は含まれない。

㉑ ○ M1に含まれるものは、現金通貨、預金通貨(当座預金や普通預金などの要求払預金)である。

㉒ ○

経常収支＝貿易・サービス収支＋第一次所得収支＋第二次所得収支

通貨

□□□ 23 通貨の機能の１つに、商品の価値の計算単位の機能がある。
重要度A

□□□ 24 一般にインフレーションが進行すると、貨幣価値は実物資産の価値に比べて、相対的に上昇する。
重要度A

日本銀行

□□□ 25 日本銀行は、銀行券の独占的発行権を有する「発券銀行」としての機能のほかに政府の出納業務を行う「政府の銀行」としての機能も有している。
重要度A

短資会社

□□□ 26 短資会社は、短期金融市場における金融機関相互の資金取引の仲介業務を行っている。
重要度C

金融市場

□□□ 27 オープン市場は、金融機関相互の資金運用・調達の場として利用されており、非金融機関は参加できない市場である。
重要度A

23 ○ 通貨の基本的機能には次の３つがある。

価値尺度としての機能	通貨が存在することで、物やサービスの価格を通貨で示すことが可能であり、商品の価値の計算単位としての機能をいう。
交換手段としての機能	支払手段、決済手段としての機能をいう。
価値の貯蔵手段としての機能	通貨を保有することは、通貨によって示される価値を保有することであり、将来の交換に備えた価値の貯蔵が可能となる機能をいう。

24 × 上昇するのではなく、「下落」する。

25 ○ 日本銀行には、銀行券の独占的発行権を有する「発券銀行」としての機能、市中金融機関を対象に取引を行う「銀行の銀行」としての機能、政府の出納業務を行う「政府の銀行」としての機能の３つの基本的機能がある。

26 ○ 短資会社は、短期金融市場において金融機関同士の仲介業務を行う会社であり、現在、東京短資、上田八木短資、セントラル短資の３社がある。

27 × 記述は、「インターバンク市場」の説明である。オープン市場は、一般事業法人などの非金融機関も参加できる市場である。

インターバンク市場

□□□ 28 インターバンク市場は、コール市場と手形市場からなり、日本銀行の資金調節や金利水準誘導の場としての機能を果たしている。
重要度B

□□□ 29 コール市場における資金の最大の出し手は地方銀行である。
重要度B

CD市場

□□□ 30 CD（譲渡性預金証書）の発行者は、金融機関のうち金融債を発行する銀行に限られている。
重要度C

CP市場

□□□ 31 CPとは、コマーシャル・ペーパーの略で、その法的性格は約束手形であり、流通形態としては、短期の現先取引が最大の割合を占めている。
重要度C

金融政策の手段

□□□ 32 日本銀行の金融政策手段としては、①公開市場操作及び②預金準備率操作の２つが代表的である。
重要度C

□□□ 33 日本銀行が行う公開市場操作では、国庫短期証券はその対象となるが、個別の株式はその対象とならない。
重要度A

予算の編成

□□□ 34 予算の作成、国会への提出は内閣が行うが、実際に予算案の編成を行うのは財務大臣である。
重要度C

□□□ 35 参議院が衆議院の可決した予算案を受け取ってから60日以内に議決しない場合は、予算は自然成立する。
重要度C

28 ○

29 × コール市場における資金の最大の出し手は信託銀行である。

30 × CDの発行者は、預金を受け入れる金融機関に限られ、発行残高シェアの過半は都市銀行が占めている。

31 ○ なお、ＣＰは割引方式で発行され、その多くは期間３ヵ月程度となっている。

32 ○

33 ○ なお、公開市場操作とは、日本銀行が市場で債券や手形の売買を行って民間金融機関の保有する資金量（当座預金残高）を増減させ、金利やマネーストックに影響を与える政策である。

34 ○

35 × 参議院が衆議院の可決した予算案を受け取ってから30日以内に議決しない場合、予算は自然成立する。

□□□ 36 衆議院が参議院の可決した予算案を否決した場合には、両院協議会を開くことになっており、両院協議会で意見が一致しない場合には、参議院の議決が国会の議決となり、予算が成立する。
重要度A

□□□ 37 国会における予算審議は、まず参議院で行われ、予算委員会の審議を経て、予算案が参議院で可決されると、衆議院に送付される。
重要度A

一般会計予算

□□□ 38 国の予算は、一般会計予算と特別会計予算から構成されている。
重要度C

□□□ 39 「暫定予算」とは、予算成立までの期間の必要経費だけを計上した予算のことである。
重要度C

基礎的財政収支対象経費

□□□ 40 国の一般会計歳出予算の基礎的財政収支対象経費のうち、最大の割合を占めるのは、公共事業関係費である。
重要度A

□□□ 41 国の一般会計歳出予算の基礎的財政収支対象経費の中で最も金額の大きな経費は、文教及び科学振興費である。
重要度A

公共財

□□□ 42 公共財とは、防衛、警察、司法など社会的な必要性が認められるものの、市場で供給されることのない財・サービスをいう。
重要度A

財政の範囲・大きさ

□□□ 43 国民負担率は、国民所得に対する租税負担の比率である。
重要度A

36 × 衆議院と参議院の記述が逆である。

37 × 衆議院と参議院の記述が逆である。

---

38 ○ 予算は、一般会計予算と特別会計予算から構成されており、一般会計予算は、本予算、暫定予算、補正予算に区分される。

39 ○

---

40 × 最大の割合を占めるのは、社会保障関係費である。

41 × 上記38を参照のこと。

---

42 ○

---

43 × 国民負担率とは、国民所得に対する租税・社会保障負担の合計の比率である。

租税

□□□ 44 地方税とは、納税者が地方公共団体を通じて国に納める税金のことをいう。
重要度C

財政赤字

□□□ 45 プライマリーバランスとは、公債金収入を含む収入と利払費及び債務償還費を含んだ支出との収支のことをいう。
重要度A

5肢選択問題

次の文章のうち、正しいものの番号を1つ選びなさい。

金融政策の手段

□□□ 46 日本銀行の金融政策のうち、市中金利の上昇原因となるものの組合せはどれか。
重要度C

(1) 預金準備率上げ、買いオペ
(2) 預金準備率上げ、売りオペ
(3) 預金準備率下げ、買いオペ
(4) 預金準備率下げ、売りオペ
(5) 該当なし

44 × 地方税とは、納税者が地方公共団体に納める租税である。

45 × プライマリーバランスとは、公債金収入以外の収入と利払費及び債務償還費を除いた支出との収支のことである。

解答・解説

46 (2)

金融政策	市中金利の上昇要因	市中金利の低下要因
預金準備率操作	上げ	下げ
公開市場操作	売りオペ	買いオペ

CHAPTER 3

株式業務

CONTENTS

- 取引の種類
- 金融商品取引所における株式の売買
- 上場株券等の取引所金融商品市場外での売買
- 株式の上場
- 外国株式の取引
- 注文の執行と決済(受渡し)
- 株式ミニ投資(ミニ株)
- 株式投資尺度
- 権利付相場・権利落相場の計算
- 株式の受渡金額計算

※本CHAPTERの掲載内容は、本書のシリーズ書籍『証券外務員一種』CHAPTER3と共通です。

学習のポイント！

証券外務員の実際の業務に直接関係する知識であるため、毎回多くの問題が出題されています。特に、「株式投資尺度」におけるPERやPBRなどの計算、「権利付相場・権利落相場の計算」については、公式や計算手順をしっかりと押さえておく必要があります。また、株式業務は、他の分野(『証券税制』、『株式会社法』、『財務諸表』、『金商法』、『協会定款』、『取引所定款』)との関連性が強いため、用語などを関連付けて学習することが効率的です。

○×問題

次の文章のうち、正しいものには○を、
正しくないものには×をつけなさい。

取引所(市場)外売買

□□□ 1 上場株式については、いわゆる取引所集中義務が課せられており、取引所外における取引を一切行ってはならない。

重要度C

内部者(インサイダー)取引の受託の禁止

□□□ 2 金融商品取引業者は、顧客の有価証券の売買等が内部者取引に該当するおそれのあることを知った場合は、当該注文を受けることはできない。

重要度C

VWAP(売買高加重平均価格)

□□□ 3 当日1,650円で1,500株、1,630円で2,500株、1,600円で3,500株約定した銘柄のVWAP(売買高加重平均価格)は1,610円である。
注)答は円未満を切り捨ててある。

重要度C

安定操作期間中の受託

□□□ 4 一般に、ファイナンス期間とは、有価証券の募集又は売出しに関する取締役会決議の行われた日からその申込最終日までをいい、その間、受注・執行の管理に注意を払う必要がある。

重要度C

顧客が指示すべき事項

□□□ 5 顧客が、金融商品取引所の売買立会による売買に係る上場株式の委託注文を行う際に金融商品取引業者に指示すべき事項に「委託注文の有効期間」がある。

重要度C

解答・解説

1 × 上場株式については、いわゆる取引所集中義務が撤廃され、取引所外における売買も行われている。

2 ○ 金融商品取引業者等は顧客の有価証券の売買が内部者取引に該当すること(又は該当するおそれのあること)を知りながら、注文を受けてはならない。

3 ×

$$\text{VWAP} = \frac{1{,}650\text{円} \times 1{,}500\text{株} + 1{,}630\text{円} \times 2{,}500\text{株} + 1{,}600\text{円} \times 3{,}500\text{株}}{1{,}500\text{株} + 2{,}500\text{株} + 3{,}500\text{株}}$$

$$= 1{,}620\text{円}$$

4 × 一般に、ファイナンス期間とは、有価証券の募集・売出し等の発表日の翌日から払込日までの期間をいい、ファイナンス期間中は作為的相場形成が行われるおそれのある注文でないか等、受注・執行の管理に注意を払う必要がある。

5 ○ 顧客が金融商品取引業者に有価証券の売買を委託するつど、指示すべき事項には、①売買の種類、②銘柄、③売付け又は買付けの区別、④数量(売買単位)、⑤値段の限度、⑥売付け又は買付けを行う売買立会時、⑦委託注文の有効期間、⑧現物取引又は信用取引の別がある。

□□□ 6 顧客が、金融商品取引所の売買立会による売買に係る上場株式の委託注文を行うときには、売り注文又は買い注文のいずれの場合においても、金融商品取引業者に当該注文の有効期間を指示することとされている。

重要度C

注文伝票の記載事項

□□□ 7 注文伝票に記載すべき事項には、自己又は委託の別、顧客からの注文の場合には当該顧客の氏名又は名称、取引の種類、銘柄、売り付又は買い付の別、受注数量、約定数量、指値又は成行の別、受注日時、約定日時、約定価格がある。

重要度C

□□□ 8 「自己又は委託の別」は、注文伝票に記載すべき事項である。

重要度A

□□□ 9 手数料の金額は、「注文伝票」に記載すべき事項である。

重要度A

契約締結時交付書面の作成

□□□ 10 金融商品取引業者は、顧客から株式の売買注文を受託した場合、当該注文に係る売買が成立したかどうかにかかわらず、契約締結時交付書面を当該顧客に交付しなければならない。

重要度A

株式の売買に係る手数料

□□□ 11 金融商品取引業者が委託取引により顧客から受け入れる委託手数料の額は、取引所の定める受託契約準則により売買代金に応じて規定されている。

重要度C

決済日

□□□ 12 金融商品取引所の売買立会による内国株式の売買の種類は、決済日の違いにより当日決済取引、普通取引、信用取引及び発行日決済取引の4種類に分類される。

重要度C

6 ○ 上記5を参照のこと。

7 ○ 注文伝票の記載事項は、以下のとおりである。

・自己又は委託の別　・指値又は成行の別　・銘柄　・約定日時
・顧客からの注文の場合には当該顧客の氏名又は名称　・受注数量
・取引の種類　・受注日時　・売付け又は買付けの別　・約定価格
・約定数量

8 ○

9 × 手数料の金額は、契約締結時交付書面に記載すべき事項である。

10 × 金融商品取引業者は、当該注文に係る売買が成立しなければ、契約締結時交付書面を当該顧客に交付しない。

11 × 金融商品取引業者が委託取引により顧客から受け入れる委託手数料の額は、各金融商品取引業者と顧客との合意により定められている。

12 × 信用取引は、普通取引のうち現物取引以外の取引のことであり、決済日の違いによる場合は、普通取引、当日決済取引、発行日決済取引の3種類に分類される。

□□□ 13 普通取引では、売買契約締結日から起算して4営業日目に決済を行う。
重要度B

□□□ 14 資金と証券の同時又は同日中の引渡しを行う決済のことをDVP決済といい、この決済では、取引相手の決済不履行から生じる元本リスク(資金又は証券を交付した後にその対価を受け取れないリスク)を排除することができる。
重要度A

発行日決済取引の約諾書及び同意書

□□□ 15 顧客が発行日決済取引による売買を金融商品取引業者に委託注文する場合は、所定の様式による「発行日決済取引の委託についての約諾書」に所定事項を顧客本人が記入し、署名又は記名押印の上、当該金融商品取引業者に差し入れねばならない。
重要度C

立会外取引

□□□ 16 立会外取引はその取引の手法によって①単一銘柄取引、②バスケット取引、③終値取引、④自己株式立会外買付取引に区分することができる。
重要度C

□□□ 17 株式の立会外バスケット取引を利用できるのは、15銘柄以上で構成され、かつ、総額10億円以上のポートフォリオについてである。
重要度A

取引所外売買の対象となる有価証券

□□□ 18 上場株式の売買取引は、立会時間外に限り取引所市場外においても行うことができる。
重要度A

□□□ 19 金融商品取引所に上場されている転換社債型新株予約権付社債券及び投資信託受益証券について、いずれも取引所外で取引を行うことではできない。
重要度C

⑬ × 4営業日目ではなく、「3営業日目」である。2019年7月16日以後の普通取引の受渡日は、売買成立の日から起算して3営業日目の日に変更されている。

⑭ ○ なお、DVP決済は、金融商品取引業者間の決済に認められている。

---

⑮ ○ なお、発行日決済取引とは、金融商品取引業者が顧客のために行う未発行の有価証券の売買その他の取引で、当該有価証券の発行日から一定の日を経過した日までに当該有価証券又は当該証書をもって受渡しするものをいう。

---

⑯ ○ なお、立会外取引は、ほとんどがクロス取引(大口注文同士を一度に成立させる方法)で約定を成立させる取引であり、一般投資家に影響を及ぼすことなく売買を成立させることができる点がメリットである。

⑰ × 総額10億円以上ではなく「総額1億円以上」のポートフォリオである。

---

⑱ × 取引所外売買は、立会時間外だけでなく立会時間内でも可能である。

⑲ × 転換社債型新株予約権付社債券及び投資信託受益証券について、いずれも取引所外で取引を行うことができる。

私設取引システム(PTS)

□□□ 20 私設取引システム(PTS)を開設できるのは、金融商品取引法の定めるところにより内閣総理大臣の認可を受けた金融商品取引業者である。

重要度C

□□□ 21 私設取引システム(PTS)では、顧客間の交渉に基づく価格を用いる方法で価格を決定することはできない。

重要度A

□□□ 22 私設取引システム(PTS)において、顧客の提示した指値が取引の相手方となる顧客の提示した指値と一致する場合、当該顧客の提示した指値を用いることができる。

重要度A

□□□ 23 私設取引システム(PTS)における非上場有価証券の取引は禁止されている。

重要度C

株式ミニ投資

□□□ 24 株式ミニ投資とは、金融商品取引業者と顧客との間で行う金融商品取引所の定める１売買単位に満たない株式(単元未満株)を、株式等振替制度を利用して、単元未満株のまま売買できる制度のことである。

重要度B

□□□ 25 金融商品取引業者は、他の金融商品取引業者から株式ミニ投資の注文を受ける場合には、当該他の金融商品取引業者と、株式ミニ投資に関する契約を締結しなくてもよい。

重要度C

□□□ 26 金融商品取引業者は、顧客と株式ミニ投資に関する契約を締結する場合、あらかじめ、当該顧客に対し株式ミニ投資約款を交付しなければならない。

重要度C

20 ○ PTS（私設取引システム）とは、取引所外売買の形態の１つで、金融商品取引法の定めにより内閣総理大臣の認可を受けた金融商品取引業者が開設・運営する電子取引の場である。

21 × PTS取引では、オークション方式のほか、顧客間交渉方式も可能である。

22 ○ このように双方の指値が一致する場合は当該顧客の提示した指値を用いることができる。

23 × 非上場有価証券のPTSにおける取引は解禁されており、禁止されていない。

24 ○ 株式ミニ投資では、単元未満株のまま売買できる。

25 × 他の金融商品取引業者から注文を受ける場合であっても、株式ミニ投資に関する契約を締結しなければならない。

26 ○

□□□ 27 株式ミニ投資については、金融商品取引所の定める1売買単位の10分の1単位の株式の持分を取引単位とする。
重要度C

□□□ 28 株式ミニ投資は、同一営業日において同一銘柄につき、1取引単位に15を乗じて算出した単位までの株数を受注することができる。
重要度C

□□□ 29 金融商品取引業者は、顧客から株式ミニ投資に係る売買注文を受ける場合には、当該顧客から成行又は指値の別について指示を受ける必要がある。
重要度C

□□□ 30 株式ミニ投資に係る取引において、約定日は金融商品取引業者が顧客から注文を受託した日の翌営業日である。
重要度A

□□□ 31 株式ミニ投資とは、毎月一定額を積み立てて、一定の期日にあらかじめ選択した一定の銘柄を買い付ける制度のことである。
重要度A

株式の上場と公開価格の決定

□□□ 32 株式の新規上場に際して、公開価格の決定方法には、競争入札方式とブック・ビルディング方式の2種類がある。
重要度A

競争入札による公開価格の決定

□□□ 33 ブック・ビルディング方式とは、株式の上場に際し、まず入札が行われた後、その落札価格等を勘案して公開価格が決定される方式のことをいう。
重要度A

外国証券取引

□□□ 34 金融商品取引業者は、顧客から新たに外国株券の売買を受託するときは、あらかじめ外国証券取引口座約款を交付し、外国証券取引口座設定に関する申込書を徴求しなければならない。
重要度A

㉗ ○ 株式ミニ投資での取引単位は１売買単位の10分の１単位の株式である。

㉘ × １取引単位に9を乗じて算出した単位までである。

㉙ × 金融商品取引業者は、顧客から株式ミニ投資に係る売買注文を受ける場合には、当該顧客から成行又は指値の別について指示を受けることはできない。顧客からの指示は、①銘柄、②買付け又は売付けの区分、③数量のみである。

㉚ ○ なお、株式ミニ投資に係る取引の受渡日は、約定日から起算して3営業日目の日である。

㉛ × 記述は、「株式累積投資」の説明である。

㉜ ○

㉝ × 記述は、「競争入札方式」の説明である。ブック・ビルディング方式とは、投資家の需要状況や上場日までの株式相場の変動リスクなどを総合的に勘案して公開価格が決められる方式のことをいう。

㉞ ○

□□□ 35 一般投資者が行う外国株式の取引は、その取引形態により「国内委託取引」、「外国取引」及び「国内店頭取引」に区分される。
重要度C

□□□ 36 個人が売買を行うことができる外国株券は、国内の金融商品取引所に上場されている銘柄に限られる。
重要度B

国内店頭取引

□□□ 37 金融商品取引業者が顧客に対し国内店頭取引の勧誘を行うことができるのは、外国取引を行うことができる外国証券に限られる。
重要度C

株価純資産倍率（PBR）

□□□ 38 株価純資産倍率（PBR）は、株価を1株当たり純資産で除して求めることができる。
重要度A

5肢選択問題　次の文章のうち、正しいものの番号を1つ選びなさい。

権利付相場・権利落相場

□□□ 39 時価1,800円の株式について、1：1.2の株式分割を行うこととなった。予想権利落相場はいくらか。
重要度A
注）答は、円単位未満を切り捨ててある。

(1) 681円
(2) 750円
(3) 1,000円
(4) 1,500円
(5) 2,160円

35 ○

36 × 個人が売買を行うことができる外国株券取引には、国内の金融商品取引所に上場されている銘柄を対象とする「国内委託取引」のほか、「外国取引」と「国内店頭取引」がある。

37 ○ なお、国内店頭取引とは、金融商品取引業者が投資家の相手方となって外国証券を仕切り売買する取引である。

38 ○

$$株価純資産倍率(PBR)=\frac{株価}{1株当たり純資産額}$$

解答・解説

39 (4)

$$権利落相場=\frac{権利付相場}{分割比率}$$

$$権利落相場=\frac{1,800円}{1.2}$$

$$=1,500円$$

□□□ 40 時価780円の株式について、1：1.2の株式分割を行うこととなった。予想権利落相場はいくらか。
重要度C
注）答は、円単位未満を切り捨ててある。

（1） 600円
（2） 650円
（3） 700円
（4） 725円
（5） 936円

□□□ 41 1：1.5の株式分割を行う上場銘柄A社株式の権利付相場は1,450円であったが、権利落後の値段が、1,100円になったとすると、権利付相場の1,450円に対していくら値上がりしたことになるか。
重要度A
注）答は、円単位未満を切り捨ててある。

（1） 133円
（2） 200円
（3） 350円
（4） 400円
（5） 550円

□□□ 42 1：1.2の株式分割を行う上場銘柄A社株式の権利付相場は1,170円であったが、権利落後の値段が、1,080円になったとすると、権利付相場の1,170円に対していくら値上がりしたことになるか。
重要度A
注）答は、円単位未満を切り捨ててある。

（1） 126円
（2） 152円
（3） 252円
（4） 378円
（5） 504円

40 (2)

$$権利落相場 = \frac{権利付相場}{分割比率}$$

$$権利落相場 = \frac{780円}{1.2}$$

$$= 650円$$

41 (2)

資産価値＝権利落相場×分割比率

資産価値＝1,100円×1.5
＝1,650円
値上がり金額＝1,650円－1,450円
＝200円

42 (1)

資産価値＝権利落相場×分割比率

資産価値＝1,080円×1.2
＝1,296円
値上がり金額＝1,296円－1,170円
＝126円

株価収益率(PER)

□□□ 43 以下の会社(年1回決算)の株価収益率(PER)はいくらか。

重要度A

総資産	24億8,000万円	総負債	17億3,000万円
発行済株式総数	600万株	当期純利益	3,000万円
株価	180円		

注)答は、小数第2位以下を切り捨ててある。また、発行済株式総数及び貸借対照表上の数値は、前期末と当期末において変化はないものとする。

(1) 36倍
(2) 38倍
(3) 40倍
(4) 45倍
(5) 50倍

43 （1）

$$1株当たり当期純利益 = \frac{当期純利益}{発行済株式総数}$$

$$1株当たり当期純利益 = \frac{3{,}000万円}{600万株}$$

$$= 5円$$

$$PER = \frac{株価}{1株当たり当期純利益}$$

$$PER = \frac{180円}{5円}$$

$$= 36倍$$

株価キャッシュ・フロー倍率（PCFR）

□□□ 44 以下の会社（年１回決算）の株価キャッシュ・フロー倍率（PCFR）はいくらか。

重要度C

発行済株式総数　５億株	当期純利益　140億円
減価償却費　40億円	株価　1,512円

注）答は、小数第２位以下を切り捨ててある。また、発行済株式総数及び貸借対照表上の数値は、前期末と当期末において変化はないものとする。

(1) 22倍
(2) 28倍
(3) 32倍
(4) 38倍
(5) 42倍

44 (5)

$$1株当たりキャッシュ・フロー = \frac{当期純利益 + 減価償却費}{発行済株式総数}$$

$$1株当たりキャッシュ・フロー = \frac{140億円 + 40億円}{5億株}$$

$$= 36円$$

$$PCFR = \frac{株価}{1株当たりキャッシュ・フロー}$$

$$PCFR = \frac{1{,}512円}{36円}$$

$$= 42倍$$

株価純資産倍率（PBR）

□□□ 45 以下の会社（年１回決算）の株価純資産倍率（PBR）はいくらか。

重要度A

総資産　4,892億円	総負債　4,092億円	当期純利益　15億円
発行済株式総数　32,000万株	株価　300円	

注）答は、小数第２位以下を切り捨ててある。また、発行済株式総数及び貸借対照表上の数値は、前期末と当期末において変化はないものとする。

（1）0.7倍
（2）1.2倍
（3）2.0倍
（4）8.7倍
（5）64.0倍

45 (2)

$$\text{純資産} = \text{総資産} - \text{総負債}$$

純資産 = 4,892億円 − 4,092億円
= 800億円

$$\text{1株当たりの純資産} = \frac{\text{純資産}}{\text{発行済株式総数}}$$

$$\text{1株当たり純資産} = \frac{800\text{億円}}{3.2\text{億株}}$$

= 250円

$$\text{PBR} = \frac{\text{株価}}{\text{1株当たり純資産}}$$

$$\text{PBR} = \frac{300\text{円}}{250\text{円}}$$

= 1.2倍

自己資本利益率(ROE)

□□□ 46 以下の会社(年1回決算)の当期における自己資本利益率(ROE)はいくらか。

重要度C

(単位：百万円)

	総資産	自己資本	売上高	純利益
当　期	70,300	52,300	81,600	8,000
前　期	60,700	47,900	76,500	4,100

注)答は、小数第2位以下を切り捨ててある。

(1) 0.8%
(2) 8.1%
(3) 10.0%
(4) 15.6%
(5) 15.9%

EV／EBITDA倍率

□□□ 47 資本金300億円、時価総額6,000億円、利益剰余金120億円、保有現預金(短期有価証券を含む)1,300億円、有利子負債3,600億円、EBITDA815億円だった場合のEV／EBITDA倍率はいくらか。

重要度A

注)答は、小数第2位以下を切り捨ててある。

(1) 1.6倍
(2) 4.5倍
(3) 10.1倍
(4) 13.3倍
(5) 14.1倍

46 (5)

$$\text{ROE}(\%) = \frac{\text{当期純利益}}{\text{自己資本(期首・期末平均)}} \times 100$$

$$\text{ROE}(\%) = \frac{8{,}000\text{百万円}}{(47{,}900\text{百万円} + 52{,}300\text{百万円}) \div 2} \times 100$$

$$\fallingdotseq 15.9\%$$

47 (3)

$$\text{EV／EBITDA倍率} = \frac{\text{時価総額＋有利子負債－現預金－短期有価証券}}{\text{EBITDA}}$$

$$\text{EV／EBITDA倍率} = \frac{6{,}000\text{億円} + 3{,}600\text{億円} - 1{,}300\text{億円}}{815\text{億円}}$$

$$\fallingdotseq 10.1\text{倍}$$

日経平均（日経225種）

□□□ 48 重要度C

権利付相場においてＡ社の株価が1,000円、Ｂ社の株価が750円、Ｃ社の株価が1,250円で、３社の平均株価を算出する除数が３であった場合、Ａ社が１：２の株式分割を行った後も３社の平均株価に連続性を持たせるための除数はいくらか。

注）答は、小数第３位以下を切り捨ててある。

(1) 2.00
(2) 2.33
(3) 2.50
(4) 2.75
(5) 2.83

48 (3) $\frac{1,000円 + 750円 + 1,250円}{3} = 1,000円$

求める除数をXとすると、

$\frac{(1,000円 \div 2) + 750円 + 1,250円}{X} = 1,000円$

X = 2.50

株式売買の受渡金額

□□□ 49 重要度C

A社株式を成行注文で10,000株の買い注文を出したところ、同一日に2,010円で3,000株、2,030円で7,000株が成立した。この場合の受渡金額はいくらか。

注1)株式委託手数料は、下表に基づき計算すること。なお、株式の譲渡に係る所得税等については、考慮しないものとする。

注2)税込手数料については、円未満を切り捨てること。

株式委託手数料額算出表

約定代金	委託手数料額
100万円超1,000万円以下の場合 1,000万円超3,000万円以下の場合	約定代金総額×0.7%+12,500円 約定代金総額×0.575%+25,000円
・上式による算出額に消費税10%相当額が加算される。	

(1) 20,140,000円

(2) 20,181,783円

(3) 20,384,208円

(4) 20,395,518円

(5) 20,455,166円

49 （4）　・A社株式の約定代金（株価×購入株数）

（2,010円×3,000株）+（2,030円×7,000株）

= 20,240,000円・・・①

・委託手数料（消費税相当額を含む）

（20,240,000円×0.575％ + 25,000円）× 1.10

= 155,518円・・・②

・受渡金額

① + ② = 20,395,518円

□□□ 50 重要度C

A社株式を成行注文で5,000株の売り委託をしたところ、同一日に2,000株を1株1,250円で、また、3,000株を1株1,280円でそれぞれ約定が成立した。この場合の受渡金額はいくらか。

注1）株式委託手数料は、下表に基づき計算すること。なお、株式の譲渡に係る所得税等については、考慮しないものとする。

注2）税込手数料については、円未満を切り捨てること。

株式委託手数料額算出表

約定代金	委託手数料額
100万円超500万円以下の場合 500万円超1,000万円以下の場合	約定代金総額×0.9％＋2,500円 約定代金総額×0.7％＋12,500円
・上式による算出額に消費税10％相当額が加算される。	

(1) 6,234,077円

(2) 6,237,162円

(3) 6,277,432円

(4) 6,395,742円

(5) 6,400,292円

50 (3) ・A社株式の約定代金(株価×売却株数)

(1,250円×2,000株)+(1,280円×3,000株)

=6,340,000円・・・①

・委託手数料(消費税相当額を含む)

(6,340,000円×0.7%+12,500円)×1.10

=62,568円・・・②

・受渡金額

①−②=6,277,432円

CHAPTER

4

債券業務

CONTENTS

- 債券の発行条件
- 債券の投資計算
- 債券の種類と特徴
- 債券の発行市場
- 債券の流通市場
- 債券の受渡代金計算
- 債券市況とその変動要因
- 債券の売買手法
- 転換社債型新株予約権付社債

※本CHAPTERの掲載内容は、本書のシリーズ書籍『証券外務員一種』CHAPTER4と共通です。

学習のポイント

債券業務は、株式業務と同様に、証券外務員の実際の業務に直接関連することからも、出題頻度及び出題のウェイトは高くなっています。特に、計算問題は出題頻度が高いため、計算方法をしっかりとマスターしましょう。また、転換社債型新株予約権付社債に関する計算問題や価格変動要因に関する問題は頻出です。

○×問題

次の文章のうち、正しいものには○を、
正しくないものには×をつけなさい。

国債

□□□ 1 重要度A
期間５年の国債は中期国債に分類され、期間２年の国債は国庫短期証券に分類される。

□□□ 2 重要度C
国庫短期証券は、法人保有のみに限定されている。

□□□ 3 重要度C
個人向け国債(変動10年)は、購入単位は１万円、利率は半年ごとに見直され、その下限金利は0.05％であり、１年経過後に中途換金した場合の換金金額は「額面金額＋経過利子相当額－直前２回分の各利子相当額×0.79685」である。

□□□ 4 重要度A
国の経常経費の歳入不足を補うために発行される特例国債は、赤字国債とも呼ばれ、各年度における特例公債法に基づいて発行される。

地方債

□□□ 5 重要度C
地方債のうち、特定の市中金融機関など少数の者に直接引き受けてもらうものを「銀行等引受地方債」という。

□□□ 6 重要度C
「全国型市場公募地方債」を発行できる団体は、すべての都道府県と一部の政令指定都市である。

□□□ 7 重要度C
「銀行等引受地方債」を発行できる団体は、すべての政令指定都市と一部の都道府県である。

解答・解説

1 × 期間2年と5年の国債は中期国債に分類される。

2 × 法人だけでなく、個人も保有できる。

3 ○ 「×0.79685」は、所得税15%（0.15）、復興特別所得税0.315%（0.15×0.021＝0.00315）及び住民税5%（0.05）の源泉徴収を考慮したものである（1－0.15－0.00315－0.05＝0.79685）。

4 ○ 国債を発行根拠法により分類すると、財政法に基づく建設国債、特例公債法に基づく特例国債（赤字国債）及び特別会計に関する法律に基づく借換国債となる。

5 ○ 主な地方債には、全国型市場公募地方債と銀行等引受地方債がある。

6 × 発行できるのは、一部の都道府県とすべての政令指定都市である。

7 × 市・区でも発行できる。

政府関係機関債（特別債）

□□□ 8 独立行政法人や政府関係の特殊会社などが、特別の法律に基づいて発行する債券に政府保証債が含まれる。
重要度A

□□□ 9 政府関係機関債（特別債）のうち、元利払いについて政府の保証付で発行されるものを一般に「国庫短期証券」という。
重要度A

金融債

□□□ 10 金融債とは、一定の金融機関がそれぞれ特別の法律に基づいて発行する債券である。
重要度C

□□□ 11 金融債の発行方式には、募集発行と売出発行の２通りがある。
重要度C

外国債

□□□ 12 外国の政府や法人が日本国内において円貨建で発行する債券のことを、一般に円建外債（サムライ債）という。
重要度B

□□□ 13 日本国外（ユーロ市場）において発行される円建債を、ユーロ円債という。
重要度A

□□□ 14 サムライ債は、日本国外（ユーロ市場）において発行される円建の債券である。
重要度A

□□□ 15 外貨建債への投資は、為替変動によるリスクを伴うが、国際的な金利差の追求や国際的な分散投資ができることなどのメリットがある。
重要度C

8 ○ 独立行政法人、政府関係の特殊会社が特別の法律に基づいて発行する債券を政府関係機関債(特別債)といい、政府保証債と財投機関債に分類される。

9 × 元利払いについて政府の保証付で発行されるものを一般に「政府保証債」という。「国庫短期証券」とは、国の一般会計や種々の特別会計の一時的な資金不足を補うために発行される割引債券のことである。

10 ○ 民間債は事業債(社債)と金融債に分類され、金融債は農林中央金庫、商工組合中央金庫及び信金中央金庫が特別の法律に基づいて発行するものである。

11 ○ なお、募集発行は法人向け、売出発行は個人向けである。

12 ○ 一般に、発行体、発行市場、通貨のいずれかが外国のものであるものを外国債券(外債)というため、円建の外債もある。

13 ○ なお、ユーロ市場とは、自国以外の金融市場で取引される通貨の金融市場のことで、欧州統一通貨の「ユーロ」とは関係がない。

14 × 記述は、「ユーロ円債」の説明である。サムライ債は外国政府や法人が日本国内において発行する円建の債券である。

15 ○

コマーシャルペーパー（CP）

□□□ 16 国内で発行されるコマーシャルペーパー（国内CP）とは、優良企業が無担保で短期の資金調達を行うため発行される預金証書のことをいう。
重要度C

単価

□□□ 17 アンダーパーで購入した債券を償還まで保有した場合は償還差益が生じ、オーバーパーで購入した債券を償還まで保有した場合は償還差損が発生する。
重要度C

利率

□□□ 18 購入金額に対する1年当たりの利子の割合を利率という。
重要度C

□□□ 19 既発行の利付債券を売買する場合、直前利払日の翌日から受渡日までの期間に応じて、売方から買方に経過利子が支払われる。
重要度B

償還

□□□ 20 期中償還には、発行時に期中償還の時期と額面金額が決められている定時償還と、発行者の都合で行うことができる任意償還とがある。
重要度A

利回り

□□□ 21 利回りと期間が同じ数銘柄の利付債券があれば、一般に利率の高い銘柄ほど単価も高く、利率の低い銘柄ほど単価も安い。
重要度C

□□□ 22 所有期間利回りとは、購入価格に対して、1年当たりに換算して、どれだけの利子収入及び償還差損益が得られたかを示す。
重要度A

⑯ × CPは預金証書ではなく、約束手形の性格を有している。

⑰ ○

⑱ × 利率とは、購入金額に対してではなく、額面に対しての1年当たりの利子の割合である。

⑲ × 既発行の利付債券を売買する場合、直前利払日の翌日から受渡日までの期間に応じて、買方から売方に経過利子が支払われる。

⑳ ○ 債券の償還には、最終償還と期中償還の2つがあり、期中償還は、発行時に期中償還の時期と額面が決められた定時償還と、発行者の都合で行うことができる任意償還に分類される。

㉑ ○

㉒ × 記述は、「最終利回り」の説明である。所有期間利回りとは、債券を途中で売却した場合の利回りであり、1年当たりに換算してどれだけの利子収入及び売却損益が得られたかを示す。

債券発行市場とは

□□□ 23 重要度C

日本の債券発行市場は、発行者、投資者、引受会社及び社債管理者の４者によって担われている。

引受会社

□□□ 24 重要度A

事業債等の引受シンジケート団は、金融商品取引業者及び銀行によって組織される。

社債管理者

□□□ 25 重要度A

社債管理者とは、社債権者のために弁済を受ける等の業務を行うのに必要な一切の権限を有する会社であり、銀行や金融商品取引業者が社債管理者となり得る。

□□□ 26 重要度A

社債発行会社は、原則として、社債管理者を設置することが義務付けられているが、各社債券面の金額が１億円以上である場合には、社債管理者を置く必要はない。

起債方式の自由化

□□□ 27 重要度B

わが国の社債発行には、様々な規制が存在し、発行条件は一定の方式に従って画一的に決められ、また発行量の調整も行われている。

□□□ 28 重要度A

スプレッド・プライシング方式とは、投資家の需要調査を行う際に、利率の絶対値で条件を提示するのではなく、国債等の金利に対する上乗せ分(スプレッド)を提示する方法である。

受渡日

□□□ 29 重要度B

一般債取引の受渡日は、原則として、売買成立の日から起算して３営業日目の日とされている。

23 ○ なお、社債管理者とは、社債権者(社債の所有者)のために、弁済を受けるなどの業務を行うのに必要な一切の権限を有する会社をいう。

24 × 事業債の引受シンジケート団は、金融商品取引業者のみによって組織される。

25 × 社債管理者となることができる者は、銀行、信託銀行又は担保付社債信託法による免許を受けた会社に限られ、金融商品取引業者はなり得ない。

26 ○ この場合には、一般的に財務代理人が置かれることになる。

27 × このような硬直的な起債方式は、その後の規制緩和の流れのなかで、市場実勢に従って発行条件を決定する方式へと見直された。

28 ○ スプレッド・プライシング方式とは、格付けが高い社債を中心として採用される起債方式である。

29 ○ 国債リテール取引(個人向け国債の中途換金及び国債(新窓販国債を含む)の譲渡)及び一般債取引については、約定日から起算して3営業日目の日が受渡日になる。

□□□ 30 長期国債を店頭売買で取引した場合の受渡日は、原則として、約定日から起算して4営業日目の日となる。
重要度A

一般景気動向

□□□ 31 コール市場、手形市場、CD（譲渡性預金証書）市場などの短期金利が低下した場合、一般に債券の利回りは上昇し、債券価格は下落する。
重要度B

金融政策

□□□ 32 一般に、日本銀行による金融緩和政策は、債券市況にとってプラス要因である。
重要度C

入替売買とは

□□□ 33 債券の入替売買とは、売買に際し同種、同量の債券等を、一定期間後に、一定価格で反対売買することをあらかじめ取り決めて行う取引のことである。
重要度A

□□□ 34 一般に将来、金利が低下するという市況観をもっているならば、短期債から価格変動の大きい長期債への入替えが有利とされている。
重要度C

□□□ 35 ダンベル（バーベル）型のポートフォリオは、短期から長期までの債権を各年度ごとに均等に保有し、毎期、同じ満期構成を維持するポートフォリオである。
重要度A

現先取引

□□□ 36 債券の現先取引は、債券の現物取引と先物取引との間で行う裁定取引のことをいう。
重要度B

30 × 店頭売買の受渡日は、原則自由である。

---

31 × コール市場、手形市場、CD(譲渡性預金証書)市場などの短期金利が低下すると、一般に債券の利回りは低下し、債券価格は上昇する。

---

32 ○ 日本銀行が金融引締政策(売りオペなど)を行うと金利は上昇し、債券価格(市況)にとってはマイナスに、金融緩和政策(買いオペなど)を行うと、金利は低下し、債券価格(市況)にとってはプラスになる。

---

33 × 記述は、「現先取引」の説明である。債券の入替売買とは、同一の投資者がある銘柄を売るとともに別の銘柄を買うというように、同時に売り買いを約定する売買手法である。

34 ○ 金利低下局面において債券価格は上昇するため、価格変動の大きい長期債が有利である。

35 × 記述は、「ラダー型」の説明である。ダンベル(バーベル)型のポートフォリオとは、流動性確保のための短期債と収益性追求のための長期債のみを保有するポートフォリオのことである。

---

36 × 記述は、「ベーシス取引」の説明である。現先取引は「債券等の条件付売買取引」ともいい、売買に際し同種、同量の債券等を、所定期日に、所定の価格で反対売買することをあらかじめ取り決めて行う債券等の売買のことである。

□□□ 37 現先取引は、資金を調達したい売方と、資金を運用したい買方との間で、金融商品取引業者がその仲介の役割をする委託現先に限られており、金融商品取引業者自身が売方もしくは買方となる自己現先は行うことができない。
重要度C

□□□ 38 現先取引を行う顧客とは約定の都度、契約書を交わし、整理、保管する。
重要度C

□□□ 39 現先取引の対象顧客は、一定の金融機関に限られている。
重要度A

□□□ 40 外貨建債券は、現先取引の売買対象債券の範囲に含まれない。
重要度C

□□□ 41 現先取引の対象債券の範囲には、新株予約権付社債は含まれない。
重要度A

着地取引

□□□ 42 着地取引とは、将来の一定の時期に一定の条件で債券を受渡しすることをあらかじめ取り決めて行う売買取引で、約定日から1カ月以上先(翌月の応当日以降)に受渡しする場合をいう。
重要度B

ベーシス取引

□□□ 43 ベーシス取引とは、債券の現物価格と先物価格との開きに注目して利ザヤを得る取引のことをいう。
重要度C

37 × 自己現先も行うことができる。

38 × 現先取引を開始する際には、予め顧客と契約を交わし、当該契約書を整理、保管し、顧客に約定の都度、明細書を交付する。

39 × 現先取引の対象顧客は、上場会社又はこれに準ずる法人であって、経済的、社会的に信用のあるものに限られている。

40 × 外貨建債券は、現先取引の売買対象債券の範囲に含まれる。

41 ○ 現先取引ができる債券には、国庫短期証券や外貨建債券は含まれるが、新株予約権付社債は含まれない。

---

42 ○ ただし、約定日から受渡日までの期間は6カ月を超えてはならないとされている。なお、2024年4月1日以降、着地取引の顧客が適格機関投資家であることなど一定の要件を満たす場合には、その期間を3年とすることができる。

---

43 ○ 債券の現物価格と先物価格との開き（ベーシス）に注目して利ザヤを得る取引（現物取引と先物取引との間で行う裁定取引）をベーシス取引という。

社債としての属性

□□□ 44 転換社債型新株予約権付社債は、新株予約権が付いている代わりに、一般的に同じ時期に発行される普通社債よりも利率が低く設定されている。
重要度C

□□□ 45 転換社債型新株予約権付社債は、１銘柄について２種類の券種を発行することができる。
重要度C

□□□ 46 上場転換社債型新株予約権付社債の券種については、一律100万円券と規定される。
重要度C

□□□ 47 転換社債型新株予約権付社債は、ほとんどの銘柄が満期一括償還制をとっているが、発行会社が、自社の転換社債型新株予約権を市場から買入れ消却する場合もある。
重要度C

パリティ価格

□□□ 48 パリティ価格とは、転換社債の債券として価値を表す価格のことである。
重要度C

株式転換

□□□ 49 転換社債型新株予約権付社債の売却時に経過利子が発生している場合、当該経過利子を受取ることができる。
重要度C

ボラティリティの変動

□□□ 50 ボラティリティとは、株価の日々の変動率を年率換算した数値のことである。
重要度C

44 ○ 新株予約権が付与されている分、普通社債に比べて利率が低く設定されることが多い。

45 × 1銘柄につき1種類のみである。

46 × ほとんどの銘柄が100万円券となっているが、一律100万円券という規定はない。

47 ○

48 × パリティ価格とは、株価と転換価額により計算される転換社債の理論価格のことである。

49 ○

50 ○ なお、ボラティリティが上昇すると、転換社債型新株予約権付社債の価格も上昇し、ボラティリティが下落すると、転換社債型新株予約権付社債の価格も下落する。

店頭取引と取引所取引

□□□ 51 ある個人（居住者）が利付国債を取引所取引により購入した場合の受渡代金を求める算式は、「受渡代金＝約定代金＋経過利子＋委託手数料＋消費税相当額」である。

重要度C

5肢選択問題

次の文章のうち、正しいものの番号を１つ選びなさい。

国債の発行根拠法

□□□ 52 国債は、その発行根拠法により以下のとおりに分類される。（　　　）に入る語句の組合せはどれか。

重要度C

・財政法に基づき、国の行う公共事業費と出資金、貸付金の財源に充てるために発行される（　イ　）。
・各年度における特例法に基づき、国の一般会計予算のうち、経常経費の歳入不足を補塡するために発行される（　ロ　）。
・特別会計に関する法律に基づき、国債の償還財源を調達するために発行される（　ハ　）。

(1) イは借換国債、ロは建設国債、ハは特例国債
(2) イは借換国債、ロは特例国債、ハは建設国債
(3) イは特例国債、ロは建設国債、ハは借換国債
(4) イは建設国債、ロは借換国債、ハは特例国債
(5) イは建設国債、ロは特例国債、ハは借換国債

51 ○ なお、消費税相当額は委託手数料の10%相当である。

解答・解説

52 (5) ・財政法に基づき、国の行う公共事業費と出資金、貸付金の財源に充てるために発行される(イ．建設国債)。
・各年度における特例法に基づき、国の一般会計予算のうち、経常経費の歳入不足を補填するために発行される(ロ．特例国債)。
・特別会計に関する法律に基づき、国債の償還財源を調達するために発行される(ハ．借換国債)。

乖離率

□□□ 53 次の条件の転換社債型新株予約権付社債の乖離率はいくらか。

重要度A

転換価額　600円
転換社債型新株予約権付社債の時価　99円
転換の対象となる株式の時価　525円

注)答は、小数第3位以下を切り捨ててある。

(1) ▲11.61%
(2) ▲13.14%
(3) 11.61%
(4) 13.14%
(5) 15.43%

53 (4)

$$パリティ価格=\frac{株価}{転換価額}\times 100$$

$$パリティ価格=\frac{525円}{600円}\times 100$$

$$=87.5円$$

$$乖離率=\frac{転換社債の時価-パリティ価格}{パリティ価格}\times 100$$

$$乖離率=\frac{99円-87.5円}{87.5円}\times 100$$

$$\fallingdotseq 13.14\%$$

□□□ 54 次の条件の転換社債型新株予約権付社債の乖離率及び転換により得られる株数の組み合せはどれか。

重要度B

額面金額　100万円
転換価額　625円
転換社債型新株予約権付社債の時価　115円
転換の対象となる株式の時価　700円

注）答は、小数第3位以下を切り捨ててある。

	（乖離率）	（転換により得られる株数）
(1)	▲2.67%	1,428株
(2)	▲2.67%	1,600株
(3)	2.60%	1,600株
(4)	2.60%	1,428株
(5)	2.67%	1,600株

社債の価格変動要因

□□□ 55 転換社債型新株予約権付社債の価格変動要因に関する組み合せはどれか。

重要度A

		（金利）	（クレジット・スプレッド）	（株価）	（ボラティリティ）
(1)	価格上昇	低下	縮小	上昇	下落
(2)	価格上昇	上昇	拡大	下落	上昇
(3)	価格下落	上昇	拡大	下落	下落
(4)	価格下落	上昇	縮小	上昇	上昇
(5)	価格下落	低下	拡大	下落	上昇

54 (5)

$$パリティ価格 = \frac{株価}{転換価額} \times 100$$

$$パリティ価格 = \frac{700円}{625円} \times 100$$

$$= 112円$$

$$乖離率 = \frac{転換社債の時価 - パリティ価格}{パリティ価格} \times 100$$

$$乖離率 = \frac{115円 - 112円}{112円} \times 100$$

$$\fallingdotseq 2.67\%$$

$$転換株数 = \frac{額面金額}{転換価額}$$

$$転換株数 = \frac{1{,}000{,}000円}{625円}$$

$$= 1{,}600株$$

---

55 (3) 転換社債の変動要因別のマトリクスは以下のとおりである。

転換社債の価格変動	転換社債の価格変動要因			
	金利	クレジット・スプレッド	株価	ボラティリティ
価格上昇	低下	縮小	上昇	上昇
価格下落	上昇	拡大	下落	下落

この表は転換社債の価格変動要因として、「金利」と「クレジット・スプレッド」、「株価」、「ボラティリティ」について、別々に整理したもので、それぞれが転換社債の価格にどのように影響するかを表している。

最終利回り

□□□ 56 利年率1.7％、残存期間４年、購入価額103円の利付債券の最終利回りはどれか。

重要度A

注)答は、小数第４位以下を切り捨ててある。

(1) 0.922％
(2) 0.950％
(3) 1.650％
(4) 2.857％
(5) 3.689％

応募者利回り

□□□ 57 債券の応募者利回りの算式の(　)に当てはまる語句の組合せはどれか。

重要度C

$$\text{応募者利回り}(\%) = \frac{\text{利率} + \dfrac{(\text{イ}) - (\text{ロ})}{(\text{ハ})}}{(\text{ニ})} \times 100$$

(1) イは償還価格、ロは発行価格、ハは残存期間、ニは購入価格
(2) イは償還価格、ロは購入価格、ハは残存期間、ニは購入価格
(3) イは償還価格、ロは発行価格、ハは償還期限、ニは発行価格
(4) イは償還価格、ロは発行価格、ハは償還期限、ニは購入価格
(5) イは売却価格、ロは購入価格、ハは所有期間、ニは購入価格

56 (1)

$$最終利回り(\%)=\frac{利率+\dfrac{償還価格-購入価格}{残存年数}}{購入価格}\times 100$$

$$最終利回り(\%)=\frac{1.7+\dfrac{100-103}{4}}{103}\times 100$$

$$\fallingdotseq 0.922\%$$

57 (3)

$$応募者利回り(\%)=\frac{利率+\dfrac{(イ.\ 償還価格)-(ロ.\ 発行価格)}{(ハ.\ 償還期限)}}{(ニ.\ 発行価格)}\times 100$$

直接利回り

□□□ 58 利年率1.6%、残存期間４年、購入価額103円の利付債券の直接利回りはどれか。

重要度A

注)答は、小数第４位以下を切り捨ててある。

(1) 0.480%

(2) 0.825%

(3) 1.553%

(4) 1.600%

(5) 5.769%

所有期間利回り

□□□ 59 利年率2.5%の10年満期の利付国債を99.50円で買い付けたところ、３年後102.50円に値上がりしたので売却した。所有期間利回りはいくらか。

重要度A

注)答は、小数第４位以下を切り捨ててある。

(1) 2.562%

(2) 2.680%

(3) 2.814%

(4) 3.500%

(5) 3.517%

58 (3)

$$直接利回り(\%)=\frac{利率}{購入価格}\times 100$$

$$直接利回り(\%)=\frac{1.6}{103}\times 100$$

$$\fallingdotseq 1.553\%$$

59 (5)

$$所有期間利回り(\%)=\frac{利率+\frac{売却価格-購入価格}{所有年数}}{購入価格}\times 100$$

$$所有期間利回り(\%)=\frac{2.5+\frac{102.50-99.50}{3}}{99.50}\times 100$$

$$\fallingdotseq 3.517\%$$

店頭取引と取引所取引

□□□ 60 重要度A

ある個人(居住者)が、額面100万円の長期利付国債を取引所取引により単価102円で購入したときの受渡代金はいくらか。

注)経過利子は、1,200円、委託手数料は額面100円につき50銭(消費税10%相当額を考慮すること)で計算すること。

(1) 1,006,550円

(2) 1,021,300円

(3) 1,026,300円

(4) 1,026,550円

(5) 1,026,700円

60 (5)

$$約定代金＝額面×\frac{購入単価}{100円}$$

$$約定代金 = 1{,}000{,}000円 × \frac{102円}{100円}$$
$$= 1{,}020{,}000円$$

$$委託手数料＝額面×\frac{手数料}{100円}×(1＋消費税率)$$

$$委託手数料(消費税を含む) = 1{,}000{,}000円 × \frac{0.5円}{100円} × 1.10$$
$$= 5{,}500円$$

受渡代金＝約定代金＋経過利子＋委託手数料

受渡代金 = 1,020,000円 + 1,200円 + 5,500円
= 1,026,700円

CHAPTER 5

投資信託及び投資法人に関する業務

CONTENTS

※本CHAPTERの掲載内容は、本書のシリーズ書籍『証券外務員一種』CHAPTER5と共通です。

学習のポイント！

本CHAPTERでは、投資信託（契約型）・投資法人（会社型投資信託）の仕組みに関して学習します。その中でも特に「委託者指図型投資信託」の仕組みや構成する機関の役割が重要といえます。また、数ある投資信託の分類方法や代表的な投資信託の特徴を問う問題が多く出題されています。商品では、MMF（現在、募集は行われていません）やMRFなどの代表的な追加型公社債投資信託の特徴や「上場投資信託」、さらに複雑な投資信託に関する出題がみられます。

○×問題

次の文章のうち、正しいものには○を、
正しくないものには×をつけなさい。

委託者指図型投資信託

□□□ 1 重要度C

委託者指図型投資信託の受益証券を発行するためには、あらかじめ委託者、受託者及び受益者の三者間で投資信託約款に基づく投資信託契約が締結されていなければならない。

□□□ 2 重要度B

投信委託会社は、自ら発行する受益証券の募集を行うことができる。

□□□ 3 重要度C

証券投資信託における投信委託会社の業務の１つに、投資信託財産の運用指図を行うことがある。

□□□ 4 重要度B

投資信託の運用報告書は、販売会社が作成するものとされている。

□□□ 5 重要度B

投資信託の受託者は、委託者の指図にしたがって投資信託財産の管理、保管を行う。

投資法人制度の概要

□□□ 6 重要度A

投資法人は、資産を主として特定資産に対する投資として運用することを目的として設立された社団法人であり、資産運用以外の行為を営業とすることはできない。

□□□ 7 重要度A

投資法人は、その商号中に投資法人という文字を用いなければならない。

解答・解説

1 × 投資信託契約は、委託者と受託者の二者間で締結する。

2 ○ なお、受益証券の募集を行う場合、第二種金融商品取引業者としての登録を受ける必要がある。

3 ○

4 × 運用報告書は、販売会社ではなく、投資信託委託会社が作成するものとされている。

5 ○

6 ○ なお、投資法人は、内閣総理大臣の登録を受けなければ資産運用を行うことができない。また、登録を受けた投資法人を「登録投資法人」という。

7 ○ なお、投資法人は株式会社ではないが、その組織と仕組みは株式会社と類似している。

特定資産

□□□ 8 投資信託の信託財産は、不動産の賃借権を運用対象とすることができない。
重要度A

□□□ 9 投資信託の信託財産は、デリバティブ取引に係る権利を運用対象とすることができる。
重要度A

受益者に対する義務と責任

□□□ 10 「委託者指図型投資信託」に関して、投信委託会社は、委託者指図型投資信託の受益者に対し、善良な管理者の注意をもって投資信託財産の運用の指図その他の業務を遂行しなければならない。
重要度C

議決権等の指図行使

□□□ 11 委託者指図型投資信託の信託財産に組み入れられている有価証券の名義人は、受益者である。
重要度A

□□□ 12 投資信託財産に組み入れた有価証券に係る議決権については、投信委託会社の指図に基づき受託者が行使する。
重要度B

□□□ 13 信託財産として有する有価証券に係る議決権を行使するのは受託者であり、受託者に対し証券投資の指図をする権利を有するのは受益者である。
重要度A

□□□ 14 投資信託の信託財産に組み入れた株式における株式の割当てを受ける権利については、投信委託会社の指図に基づき受託者が行使する。
重要度C

8 × 不動産の賃借権も運用対象とすることができる。

9 ○ 特定資産には、有価証券、デリバティブ取引に係る権利、不動産、不動産の賃借権、地上権などが含まれる。

10 ○ 投信委託会社には、忠実義務(受益者のために忠実に投資運用業を行わなければならない)、善管注意義務(受益者に対し、善良なる管理者の注意をもって投資運用業を行わなければならない)、誠実・公正義務が課されている。

11 × 委託者指図型投資信託の信託財産に組み入れられている有価証券の名義人は、受託者である。

12 ○

13 × 信託財産として有する有価証券に係る議決権を行使するのは受託者であり、受託者に対し証券投資の指図をする権利を有するのは投信委託会社である。

14 ○

投資信託約款

□□□ 15 投資信託約款に記載すべき事項には、「委託者における公告の方法」が含まれる。
重要度A

□□□ 16 投信委託会社は、投資信託約款について重大な変更を行おうとする場合には、書面による決議を行わなければならないが、その書面決議を行おうとする場合は、受益者に対して変更の内容等を記載した書面をもって通知しなければならない。
重要度C

委託者非指図型投資信託契約の締結

□□□ 17 委託者非指図型投資信託の受託者は、その委託者非指図型投資信託について、元本に損失を生じた場合にこれを補塡し、あらかじめ一定額の利益を得られなかった場合にこれを補足することをしてはならない。
重要度C

□□□ 18 委託者非指図型投資信託を設定する場合には、証券投資信託としなければならない。
重要度B

外国投資信託

□□□ 19 外国投資信託とは、外国において外国の法令に基づいて設定された信託で、投資信託に類するものをいう。
重要度A

投資法人の設立

□□□ 20 投資法人制度において、規約に記載すべき事項の１つに「発行することができる投資口の総口数」がある。
重要度A

□□□ 21 投資法人の設立時の出資総額は、設立の際に発行する投資口の発行価額の総額であり、その最低額が定められている。
重要度A

⑮ ○ 投資信託約款の記載事項には、委託者及び受託者の商号又は名称、受益者に関する事項、委託者及び受託者としての業務に関する事項などのほか委託者における公告の方法も含まれる。

⑯ ○ なお、投信委託会社は、投資信託約款を変更するときは、あらかじめその旨及び内容を内閣総理大臣に届け出なければならない。

⑰ ○ なお、委託者非指図型投資信託は、受託者である信託会社等が、委託者の指図に基づかず、自ら信託財産を運用するものである。

⑱ × 委託者非指図型投資信託を設定する場合には、証券投資信託以外の投資信託としなければならない。

⑲ ○

⑳ ○ 設立企画人が作成する規約には、発行することができる投資口の総口数、設立に際して出資される金銭の額、投資法人が常時保有する最低限度の純資産額などが記載される。

㉑ ○ 設立時の出資総額は、設立時に発行する投資口の発行価額の総額で、1億円以上と定められている。

執行役員

□□□ 22 「投資法人」に関して、執行役員は投資主総会で選任されるが、その数は３名以上とされている。
重要度A

監督役員

□□□ 23 ある投資法人の監督役員となっている者は、当該投資法人の執行役員を兼任することができない。
重要度A

投資口及び投資証券

□□□ 24 投資法人は、額面金額の定めがある投資証券及び無額面の投資証券の両方を発行することができる。
重要度C

□□□ 25 「投資法人」に関して、投資口の譲渡は、他の投資主の３分の１以上の合意を得なければ、行うことができない。
重要度A

金銭の分配

□□□ 26 投資法人が、決算期ごとに投資主に対して行う金銭の分配は、当該投資法人の貸借対照表上の純資産額から出資総額等の合計金額を控除した額(利益)以内の額としなければならない。
重要度A

委託者非指図型投資信託契約の締結

□□□ 27 委託者非指図型投資信託を設定する場合は、証券投資信託以外の投資信託としなければならない。
重要度B

□□□ 28 委託者非指図型投資信託を設定する場合、必ずしも証券投資信託以外の投資信託とする必要はない。
重要度C

□□□ 29 証券投資信託は、委託者指図型投資信託及び委託者非指図型投資信託のいずれの方法でも設定することが出来る。
重要度C

22 × 執行役員の数に制限はなく、したがって1名でもよい。

23 ○ 監督役員は、執行役員の数に1を加えた数以上でなければならず、また、執行役員との兼任は認められていない。なお、任期は4年を超えることはできない。

24 × 投資法人は、無額面の投資証券のみ発行することができる。

25 × 投資口の譲渡は自由である。

26 × 投資法人が、決算期ごとに投資主に対して行う金銭の分配は、当該投資法人の貸借対照表上の純資産額から出資総額等の合計金額を控除した額(利益)を超えて行うことができる。

27 ○

28 × 委託者非指図型投資信託を設定する場合は、証券投資信託以外の投資信託としなければならない。

29 × 証券投資信託は、委託者非指図型投資信託では設定することができない。

法人格の有無

□□□ 30 契約型投資信託も会社型投資信託も、ファンド自体に法人格はない。
重要度B

証券投資信託（証券投資法人）

□□□ 31 証券投資信託とは、投資信託財産の総額の３分の１を超える額を有価証券に対する投資として運用することを目的とした投資信託をいう。
重要度B

不動産投資信託（不動産投資法人）

□□□ 32 不動産投資信託は、通常、投資法人の形態をとっている。
重要度C

□□□ 33 不動産投資信託は、通常、オープン・エンド型であり、金融商品取引所に上場されて、投資家に売買の場が提供されている。
重要度C

株式投資信託

□□□ 34 株式の組入比率が30パーセントである証券投資信託は公社債投資信託と呼ばれる。
重要度A

□□□ 35 公社債投資信託は、株式を信託財産に組み入れることができない。
重要度C

公社債投資信託

□□□ 36 公社債投資信託とは、国債、地方債、コマーシャル・ペーパー、外国法人が発行する譲渡性預金証書、国債先物取引などに投資対象が限定されている証券投資信託のことをいう。
重要度C

30 ×　会社型投資信託にはファンド自体に法人格がある。

31 ×　有価証券に対する投資割合は、3分の1を超える額ではなく、「2分の1」を超える額とされている。

32 ○

33 ×　不動産投資信託は、通常、オープン・エンド型ではなく、「クローズド・エンド型」である。

34 ×　公社債投資信託は、株式を組み入れることは一切できない。

35 ○　公社債投資信託は、国債、地方債、社債、コマーシャル・ペーパー（CP）、外国法人が発行する譲渡性預金証書などに限って運用対象とする投資信託であり、株式を信託財産に組み入れることは一切できない。

36 ○　上記35を参照のこと。

単位型と追加型

□□□ 37 単位型投資信託に、その時々の投資家のニーズや株式市場、債券市場などのマーケット状況に応じて、これに適合した仕組みの投資信託をタイムリーに設定するいわゆるスポット投資信託がある。
重要度B

登録制

□□□ 38 投資信託委託会社になろうとするときは、日本証券業協会の登録を受ける必要がある。
重要度C

投資信託委託会社の業務

□□□ 39 投資信託委託会社の主な業務に、投資信託約款の届出、受益権の募集と発行、投資信託財産の運用指図、投資信託財産の保管がある。
重要度C

□□□ 40 目論見書、運用報告書の作成は、投資信託委託会社の業務である。
重要度A

□□□ 41 投資信託委託会社は、自ら発行する受益権の募集を行う場合には、第一種金融商品取引業者として内閣総理大臣（金融庁長官）の登録を受ける必要がある。
重要度B

投資法人の設立

□□□ 42 投資法人の設立企画人となることができる者の範囲には、投資運用業の登録を受けた金融商品取引業者が含まれる。
重要度B

投資主総会

□□□ 43 投資法人の規約の変更は、投資主総会の普通決議が必要である。
重要度C

37 ○ このほかに、継続して定期的に同じ仕組みの投資信託を設定していくファミリーファンド・ユニット（定期定型投資信託）がある。

38 × 日本証券業協会ではなく内閣総理大臣（金融庁長官）の登録を受ける必要がある。

39 × 投資信託財産の保管は受託会社の業務である。

40 ○

41 × 第一種金融商品取引業者ではなく、第二種金融商品取引業者として登録を受けることが必要である。

42 ○ 設立企画人になることができる者は、投信委託会社、信託会社等、一定の適格機関投資家などに限られる。

43 × 規約の変更は、特別決議による。

役員・役員会

□□□ 44 投資法人の執行役員は投資主総会で選出されるが、その数に限りはなく、したがって1名でもよい。

重要度A

□□□ 45 投資法人の執行役員は6カ月に1回以上、業務の執行状況を役員会に報告しなければならない。

重要度C

資産運用業務の委託

□□□ 46 投資法人は、投資運用業の登録を受けた金融商品取引業者に資産運用業務を委託しなければならない。

重要度A

投資主

□□□ 47 投資法人制度における投資主の権利に、「投資主総会の議決権」は含まれない。

重要度C

トップダウン・アプローチとボトムアップ・アプローチ

□□□ 48 証券投資信託の運用手法であるアクティブ運用には、大別して、マクロ経済に対する調査・分析結果でポートフォリオを組成していくトップダウン・アプローチと、個別企業に対する調査・分析結果の積み重ねでポートフォリオを組成していくボトムアップ・アプローチがある。

重要度C

投信法に定める投資対象

□□□ 49 証券投資信託の信託財産は、有価証券関連デリバティブ取引については、その運用対象とすることはできない。

重要度A

44 ○ 執行役員に人数制限はなく、１人でもよい。なお、任期は2年を超えることができない。

45 × ６カ月に１回以上ではなく、「3カ月」に１回以上報告しなければならない。

46 ○ 投資法人は、実際の資産運用業務、資産保管業務、その他の一般事務について自らが行うことはできず、すべて外部委託する必要がある。

47 × 投資法人制度における投資主の権利に、「投資主総会の議決権」は含まれる。

48 ○ なお、証券投資信託の運用手法は、次のようにインデックス運用（パッシブ運用）とアクティブ運用に大別できる。

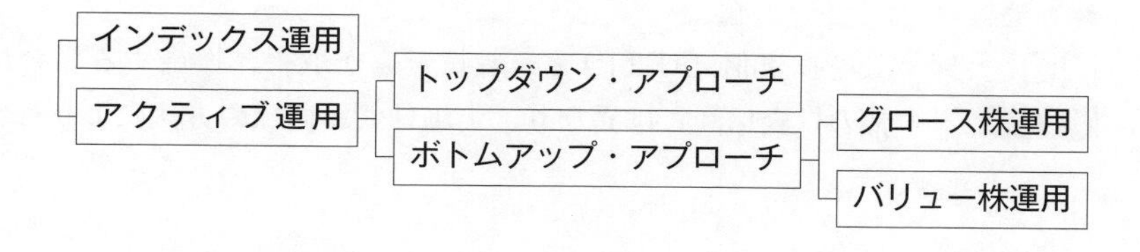

49 × 有価証券関連デリバティブ取引も対象とすることができる。

□□□ 50 証券投資信託とは投資信託財産の総額の３分の１を超える額を有価証券に対する投資として運用することを目的としているが、この場合の有価証券には有価証券関連デリバティブ取引に係る権利は含まれない。

重要度B

公社債に関する制限

□□□ 51 投資信託の信託財産は、転換社債型新株予約権付社債については、その運用対象とすることはできない。

重要度C

投資信託説明書（目論見書）及び契約締結前交付書面の交付

□□□ 52 金融商品取引業者は、投資家に、投資信託を販売した際は、販売後遅滞なく当該投資家に目論見書を交付しなければならない。

重要度B

金融サービス提供法による説明義務

□□□ 53 投資信託の販売に際し、金融商品取引業者が顧客に対して当該投資信託が有するリスク等の重要事項についての説明義務を怠り、そのために当該顧客が損害を被った場合には、当該金融商品取引業者は損害賠償責任を負わない。

重要度A

ETF

□□□ 54 上場投資信託（ETF）を一般投資家が取得、換金する場合は、通常の投資信託とは異なり、上場株式と同様の方法により行われる。

重要度A

□□□ 55 上場投資信託（ETF）は、ほかの証券投資信託と同様に、基準価格に基づく価格で購入・換金することができる。

重要度A

□□□ 56 上場投資信託（ETF）の売買注文については、指値注文、成行注文は可能であるが、信用取引は行うことができない。

重要度A

50 × 証券投資信託は投資信託の総額の2分の1を超える額を有価証券に対する投資として運用しなければならず、この場合の有価証券には有価証券関連デリバティブ取引に係る権利も含まれる。

51 × 投資信託が対象とする有価証券の範囲に、転換社債型新株予約権付社債も含まれる。

52 × 投資信託を販売する場合、目論見書は、あらかじめ又は同時に投資家に交付しなければならない。

53 × 金融商品取引業者が説明義務を怠り、そのために当該顧客が損害を被った場合には、当該金融商品取引業者は損害賠償責任を負う。

54 ○ 上場投資信託は、上場株式と同様に売買され、指値注文や成行注文も可能で、信用取引の対象としても売買でき、委託手数料も上場株式と同様に売買時に徴収される。

55 × 上記54を参照のこと。

56 × 信用取引も行うことができる。

□□□ 57 上場投資信託(ETF)は、一般に一定口数以上の受益証券とそれに相当する投資信託財産中の現物株式のポートフォリオとを交換することができる。

重要度C

□□□ 58 上場投資信託(ETF)は、すべて株価指数や商品指数などの指標に連動するように設定されている。

重要度C

複雑な投資信託

□□□ 59 個人顧客に対し、レバレッジ投資信託の販売の勧誘を行うに当たっては、勧誘開始基準を定め、当該基準に適合した者でなければ、当該販売の勧誘を行ってはならない。

重要度A

外国投資信託の取扱い

□□□ 60 外国投資信託を日本で販売する場合には、金商法と投信法が適用され、日本で設定された投資信託と同じルールの下で販売が行われる。

重要度B

公社債投資信託の収益分配金とファンドの仕組み

□□□ 61 追加型公社債投資信託の収益分配金は、元本の追加設定の際に発生する収益調整金を分配の原資とするものである。

重要度C

解約と買取り

□□□ 62 追加型株式投資信託における受益者の換金方法は、解約と買取りの２つの方法がある。

重要度A

クローズド期間

□□□ 63 投資信託には、投資信託約款によりあらかじめ解約請求することができない期間を定める場合があり、この期間を無分配期間という。

重要度A

57 ○

58 × 連動対象となる指標が存在しないETF（アクティブ運用型ETF）も認められている。

59 ○ なお、レバレッジ投資信託とは、基準価額の変動率を特定の指標又は価格の変動率にあらかじめ定めた倍率（２倍以上またはマイナス２倍以下に限る）を乗じて得た数値に一致させるよう運用される投資信託であって、上場投資信託以外のものをいう。

60 ○

61 × 追加型公社債投資信託の収益分配金は、元本超過額の金額を分配する。

62 ○ 換金方法には解約と買取りの２つの方法がある。

63 × 記述は、「クローズド期間」の説明である。

償還

□□□ 64 単位型投資信託は、いかなる場合でも、信託期間の終了までの間は、償還されることはない。

重要度A

5肢選択問題

次の文章のうち、正しいものの番号を1つ選びなさい。

クローズド・エンド型とオープン・エンド型

□□□ 65 投資信託に関して、(　　　)に当てはまる語句の組合せはどれか。

重要度A

・(　イ　)型の発行証券は、市場で売却することで換金できる。
・(　ロ　)型の発行証券の買戻しは純資産価格に基づいて、行われる。
・(　ハ　)型は(　ニ　)型に比べて、基金の資金量が安定している。

a．クローズド・エンド　　b．オープン・エンド

(1) イ－a、ロ－b、ハ－a、ニ－b
(2) イ－a、ロ－b、ハ－b、ニ－a
(3) イ－b、ロ－a、ハ－a、ニ－b
(4) イ－b、ロ－a、ハ－b、ニ－a
(5) イ－b、ロ－b、ハ－a、ニ－b

64 × 残存元本額が一定の水準以下となれば、信託期間中でも償還することができるとされているファンドが多い。

解答・解説

65 （1） ・（イ：a．クローズド・エンド）型の発行証券は、市場で売却することで換金できる。
・（ロ：b．オープン・エンド）型の発行証券の買戻しは純資産価格に基づいて、行われる。
・（ハ：a．クローズド・エンド）型は（ニ：b．オープン・エンド）型に比べて、基金の資金量が安定している。

MMF・MRF

□□□ 66 「MMF」の特徴はどれか。

重要度B

(1) 長期国債を主要投資対象とする。

(2) 販売単位は、1万口(1口1円)である。

(3) 換金代金の支払日は請求日から起算して3営業日目である。

(4) 換金代金の支払いとして、キャッシングの制度がある。

(5) 決算は毎月行われ、分配金は毎月末に再投資される。

□□□ 67 「MRF」の特徴はどれか。

重要度B

(1) 長期国債を主要投資対象とする。

(2) 販売単位は、1万口(1口1円)である。

(3) 換金代金の支払日は請求日から起算して4営業日目である。

(4) 換金代金の支払いとして、キャッシングの制度はない。

(5) 決算は毎日行われ、分配金は毎月末に再投資される。

66 (4) 「MMF」の特徴：

運用対象…中短期債・短期金融商品

販売単位…1口(1口1円)

換金代金の支払い…翌営業日(キャッシング制度あり)

収益の分配…毎日決算を行い、分配金は毎月末に再投資

※現在、MMFは募集中止となっているが、本試験での出題可能性に鑑み、問題を掲載している。

67 (5) 「MRF」の特徴：

運用対象…中短期債・短期金融商品

販売単位…1口(1口1円)

換金代金の支払い…正午以前は当日、それ以降は翌営業日(キャッシング制度あり)

収益の分配…毎日決算を行い、分配金は毎月末に再投資

個別元本・普通分配金・特別分配金

□□□ 68 以下の条件に基づく文中の(　　　)の語句の組合せはどれか。

重要度C　注)源泉徴収税額は円未満切り捨て。

受益者A　個別元本	10,500円
【決算日の状況】	
基準価額	11,500円
収益分配金	1,500円
分配落ち後の基準価額	10,000円

受益者Aの普通分配金は(　イ　)円、元本払戻金(特別分配金)は(　ロ　)円で(　ハ　)円が源泉徴収され手取収益分配金は(　ニ　)円となる。

a．1,500　b．1,297　c．1,197　d．1,000
e．500　f．303　g．203

(1) イ－a、ロ－d、ハ－f、ニ－c
(2) イ－a、ロ－e、ハ－f、ニ－c
(3) イ－c、ロ－a、ハ－f、ニ－c
(4) イ－d、ロ－e、ハ－g、ニ－b
(5) イ－d、ロ－a、ハ－g、ニ－b

68 （4）

普通分配金＝基準価額－個別元本

普通分配金＝11,500円－10,500円
＝1,000円

元本払戻金＝収益分配金－普通分配金

元本払戻金＝1,500円－1,000円
＝500円

源泉税＝普通分配金×税率

源泉税＝1,000円×20.315%
≒203円

手取収益分配金＝収益分配金－税金

手取収益分配金＝1,500円－203円
＝1,297円

投信法上の継続開示

□□□ 69 以下のうち「運用報告書」の主な記載事項として正しいものはどれか。

重要度A

イ．期中の運用の経過

ロ．運用状況の推移

ハ．株式につき、銘柄ごとに、前期末・当期末現在における株式数並びに当期末現在における時価総額並びに期中の株式の売買総数及び売買総額

ニ．公社債につき、種類及び銘柄ごとに、当期末現在における時価総額及び期中の売買総額

(1) イ、ロ、ハ及びニ

(2) イ、ロ及びハ

(3) イ、ロ及びニ

(4) ロ、ハ及びニ

(5) ロ及びニ

69 (1) すべて、運用報告書の記載事項である。

CHAPTER

6

証券税制

CONTENTS

※本CHAPTERの掲載内容は、本書のシリーズ書籍『証券外務員一種』CHAPTER6と共通です。

学習のポイント

上場株式の配当金に対する課税のしくみ及び税率、上場株式の譲渡益に対する課税のしくみ及び税率が高い頻度で出題されています。計算問題では、上場株式の譲渡益に対する所得税及び住民税の税額計算が頻出です。近年の税制改正により、税率や課税方法が変更されている箇所も多く、現時点における課税方法と税率をよく整理しておく必要があります。また、相続に関する知識も必要です。

○×問題

次の文章のうち、正しいものには○を、
正しくないものには×をつけなさい。

種類別の所得の概要

□□□ 1 重要度A
投資信託(公社債投資信託を除く)の収益の分配は、配当所得とされる。

□□□ 2 重要度C
会社の都合により退職した場合に支給される退職一時金は、一時所得に分類される。

□□□ 3 重要度C
株式など有価証券の譲渡による所得は、譲渡所得とされ、事業所得又は雑所得として分類されることはない。

□□□ 4 重要度A
株式など有価証券の譲渡を事業的な規模で行う継続的取引から生ずる所得に関しては、譲渡所得に分類される。

□□□ 5 重要度A
居住者に対する課税に関して、預金利子、利付国債の利子、また、公社債投資信託の収益の分配金に係る所得は、利子所得に分類される。

□□□ 6 重要度A
オープン型(追加型)証券投資信託の元本払戻金(特別分配金)は、所得税法上、非課税とはならない。

□□□ 7 重要度A
財形住宅貯蓄における利子所得の非課税制度の非課税最高限度額は、財形年金貯蓄とは別枠で元本550万円とされている。

解答・解説

1 ○ なお、公社債投資信託の収益分配金は、利子所得となる。

2 × 一時所得ではなく、「退職所得」である。

3 × 事業所得又は雑所得となる場合もある。

4 × 事業的な規模に該当する場合は事業所得に分類される。

5 ○ 公社債投資信託の収益分配金も利子所得となる。

6 × オープン型証券投資信託の元本払戻金（特別分配金）は非課税である。

7 × 非課税最高限度額は、財形住宅貯蓄と財形年金貯蓄の合計で１人元本550万円までである。それぞれに550万円ずつの非課税最高限度額が設けられているのではない。

各種所得の金額の計算

□□□ 8 所得税の確定申告をする場合の所得金額計算上の収入金額は、源泉徴収された所得税や復興特別所得税の額がある場合には、当該所得税や復興特別所得税の額が差し引かれる前の金額(いわゆる税引前の金額)に基づいて計算する。
重要度A

□□□ 9 借入金により利付国債を購入した場合には、その利子所得の金額の計算上、借入金に係る負債利子が控除される。
重要度C

損益通算

□□□ 10 上場株式等を金融商品取引業者等を通じて譲渡したことにより生じた損失は、一定の要件の下で、翌年以降3年間の各年分の株式等に係る譲渡所得等の金額からの繰越控除が認められる。
重要度B

利子所得等の原則的な課税方法

□□□ 11 公社債投資信託の収益の分配に係る所得は、配当所得とされる。
重要度A

配当所得

□□□ 12 証券投資信託の収益分配金(公社債投資信託を除く)は、配当所得とされる。
重要度A

□□□ 13 大口株主を除く個人(居住者)が受け取る株式の配当金については、公社債の利子と同様、その支払いの際に所得税(15%)及び住民税(5%)のみが源泉徴収される。
重要度B

配当控除

□□□ 14 居住者が上場株式の配当金について配当控除の適用を受けたい場合、その配当所得について確定申告を行う必要はない。
重要度B

8 ○

9 × 利子所得の収入金額から控除される金額はなく、負債利子は控除されない。

10 ○ 上場株式等の譲渡により生じた損失の金額のうち、その年に控除しきれなかった部分については、確定申告を要件として、翌年以降3年間にわたり繰越控除することができる。

11 × 配当所得ではなく、「利子所得」である。

12 ○ なお、公社債投資信託の収益の分配金は利子所得とされる。

13 × 公社債の利子と同様であるが、所得税及び復興特別所得税(15.315%)並びに住民税(５%)が源泉徴収される。
なお、ここでいう大口株主は個人株主で３%以上の株式等所有割合である者をいう。

14 × 居住者が上場株式の配当金について配当控除の適用を受けたい場合は、その配当所得について確定申告を行う必要がある。

□□□ 15 株式の配当所得に適用される所得税の配当控除額は、課税総所得金額等が1,000万円以下の場合には、その配当所得の金額（源泉所得税控除前）の15％の額（控除対象所得税額を限度とする）である。
重要度C

□□□ 16 上場株式等の配当等に係る配当所得等について申告分離課税とする特例の適用を受けた場合であっても、その上場株式等の配当に係る配当所得について配当控除を適用することができる。
重要度A

上場株式等の配当所得の源泉徴収税率の特例

□□□ 17 個人が受け取る株式投資信託の収益分配金については、所得税が20％の税率で源泉徴収される。
重要度C

□□□ 18 居住者（発行済株式総数の３％以上を所有する株主を除く）が受け取る上場株式の配当金については、その配当所得に対して20.315％（所得税及び復興特別所得税並びに住民税の合計）が源泉徴収される。
重要度C

株式等の譲渡に係る損失の損益通算

□□□ 19 居住者が購入した公募株式投資信託については、中途解約時に損失が発生した場合には、当該損失と上場株式の譲渡益との損益通算を行うことができる。
重要度A

□□□ 20 大口株主等が受け取る上場株式等の配当所得等は、当該上場株式等以外の上場株式等の譲渡損失と損益通算をすることはできない。
重要度A

⑮ × 課税総所得金額等が1,000万円以下の場合には、その配当所得の金額（源泉所得税控除前）の10%の額（控除対象所得税額を限度とする）である。

⑯ × 申告分離課税を選択したものについては、配当控除の適用はできない。

---

⑰ × 個人が受け取る株式投資信託の収益分配金については、所得税及び復興特別所得税15.315%並びに住民税5%の税率で源泉徴収される。

⑱ ○ 上記⑰を参照のこと。

---

⑲ ○ なお、一般株式等に係る譲渡所得等の金額と上場株式等に係る譲渡所得等の金額は損益通算することはできない。

⑳ ○ 上場株式等の配当所得等と上場株式等の譲渡損失を損益通算するためには、上場株式等の配当所得等について申告分離課税を選択しなければならないが、大口株主等（その者が株主となる同族会社とあわせて発行済株式の総数等の３％以上に相当する数または金額の株式等を有する個人）が受け取る上場株式等の配当等に申告分離課税の適用はないため、損益通算することはできない。

□□□ 21 「上場株式等に係る申告分離課税」における上場株式等の譲渡による所得と、「一般株式等に係る申告分離課税」における一般株式等の譲渡による所得は、損益通算することができる。

重要度A

適用対象となる株式等

□□□ 22 個人(居住者)の「株式等」の譲渡所得について確定申告による申告分離課税が適用されるとき、この申告分離課税の適用対象となる「株式等」に該当するものには「新株予約権付社債」が含まれる。

重要度C

□□□ 23 個人(居住者)の「株式等」の譲渡所得について確定申告による申告分離課税が適用される際、この申告分離課税の適用対象となる「株式等」に該当するものには「株価指数連動型上場投資信託(いわゆるETF)」は含まれない。

重要度C

株式等の譲渡所得等の申告分離課税

□□□ 24 2024年1月現在、居住者が金融商品取引業者を通じて行う上場株式の譲渡益(年間の譲渡損益を通算した後の利益)に対する所得税及び復興特別所得税並びに住民税の税率の合計は、20.315%とされている。

重要度A

□□□ 25 信用取引等の方法による株式の売買から生ずる所得は、当該信用取引等の決済の日の属する年分の所得として課税される。

重要度A

特定口座制度の概要

□□□ 26 特定口座内保管上場株式等の譲渡による所得の金額は、証券業者から交付を受けた「特定口座年間取引報告書」に記載された収入金額、取得費及び経費に基づき計算できる。

重要度B

□□□ 27 特定口座内の上場株式等の譲渡益は、口座を設定すれば、金融商品取引業者に届出を行わなくても、源泉徴収の適用を受けることができる。

重要度B

21 × 一般株式等に係る譲渡所得等の金額と上場株式等に係る譲渡所得等の金額は損益通算することはできない。

---

22 ○

23 × 株価指数連動型上場投資信託（いわゆるETF）も含まれる。

---

24 ○

25 ○ 信用取引又は発行日決済取引の方法による場合には、当該信用取引等の決済の日の属する年分の所得とされる。

---

26 ○ なお、特定口座の設定は、個人１人につき「1業者・1口座」とされており、金融商品取引業者が異なれば、それぞれの金融商品取引業者ごとに設定できる。

27 × 源泉徴収の適用を受けるためには、金融商品取引業者に「特定口座源泉徴収選択届出書」を提出する必要がある。

特定口座

□□□ 28 重要度A

特定口座は、個人１人につき１口座とされ、複数の金融商品取引業者に口座を設定することはできない。

□□□ 29 重要度A

金融商品取引業者は、「特定口座年間取引報告書」を２通作成し、１通を特定口座開設者に交付し、もう１通を自社で保管しなければならない。

□□□ 30 重要度B

特定口座年間取引報告書は、確定申告の際の株式等に係る譲渡所得等の金額の計算明細書に代わるものである。したがって、特定口座年間取引報告書を確定申告書に添付して提出しなければならない。

確定申告不要の特例

□□□ 31 重要度C

源泉徴収が選択された特定口座に係る上場株式等の譲渡所得等の金額又は損失の金額は、確定申告の際に、所得計算に含めないで申告するか、所得計算に含めて申告するかを選択することはできない。

NISA制度

□□□ 32 重要度B

非課税口座内の少額上場株式等に係る配当所得及び譲渡所得等の非課税措置（以下、NISA制度という）は、非課税口座に受け入れた上場株式等に係る配当等や譲渡益のうち、一定額を非課税とするものである。

□□□ 33 重要度B

2024年１月以後のNISA制度では、特定累積投資勘定（つみたて投資枠）および特定非課税管理勘定（成長投資枠）における年間投資上限額は、それぞれ240万円および120万円である。

㉘ × 金融商品取引業者が異なれば、それぞれの金融商品取引業者ごとに設定できる。

㉙ × 1通を税務署に提出し、1通を特定口座開設者に交付する。

㉚ × 2019年4月1日以後に提出する確定申告書への特定口座年間取引報告書の添付は不要である。

㉛ × 確定申告の際に、所得計算に含めないで申告するか、所得計算に含めて申告するかを選択をすることができる。

㉜ × 一定額ではなく、全額を非課税とするものである。

㉝ × 年間投資上限額は、つみたて投資枠が120万円、成長投資枠が240万円である。

□□□ 34 2024年１月以後のNISA制度では、生涯非課税限度額が設けられており、その金額は2,000万円である。
重要度B

上場株式の評価

□□□ 35 相続で取得する上場株式の相続税の評価は、課税時期における金融商品取引所の公表する最終価額によらなければならない。
重要度A

5肢選択問題

次の文章のうち、正しいものの番号を１つ選びなさい。

配当控除

□□□ 36 居住者が国内において支払いを受ける法人からの株式の期末配当金を総合課税として確定申告する場合の所得税の配当控除の額は、配当所得の金額に一定の率を乗じて求められるが、課税総所得金額等が1,050万円で、そのうち配当所得の金額が80万円（源泉所得控除前）の場合の所得税の配当控除の額はいくらか。
重要度C

(1) 40,000円
(2) 50,000円
(3) 55,000円
(4) 65,000円
(5) 80,000円

34 × 生涯非課税限度額は1,800万円（うち成長投資枠1,200万円）である。

35 × 課税時期における金融商品取引所の公表する最終価額によって評価する。ただし、その最終価額が課税時期の属する月以前3カ月間の毎日の最終価額の各月ごとの平均額のうち最も低い価額を超える場合には、その最も低い価額によって評価する。

解答・解説

36 (3) 課税総所得金額等が1,050万円で、そのうち配当所得が80万円（源泉所得税控除前）なので、配当控除率は1,000万円を超える50万円に対して5%（所得税）、残りの30万円に対して10%（所得税）となる。
50万円×5%＋30万円×10%＝55,000円

譲渡株式等の譲渡原価(取得費)の計算

□□□ 37
重要度C

ある個人(居住者)が、上場銘柄A社株式を金融商品取引業者に委託して、現金取引により、2024年8月から同年10月までの間に10,000株を下記のとおり新たに買付け、同年11月に10,000株売却を行った。この売却による所得に対する所得税及び復興特別所得税並びに住民税の合計金額として正しいものを1つ選びなさい。

注) 2024年中には、他に有価証券の売買はない。また、売買に伴う手数料その他の諸費用等及び住民税による基礎控除は考慮しない。なお、計算の途中で端数が生じた場合、取得原価については円未満切り上げ、税額については、円未満を切り捨てること。

年　月	売買の別	単　価	株　数
2024年8月	買い	4,700円	2,500株
2024年9月	買い	3,000円	4,700株
2024年10月	買い	5,600円	2,800株
2024年11月	売り	4,300円	10,000株

(1) 104,412円
(2) 149,160円
(3) 298,630円
(4) 387,818円
(5) 458,137円

37 (3)

$$1株当たり取得価額 = \frac{買い単価 \times 購入株数（＝取得価額合計）}{購入株数合計}$$

$$1株当たり取得価額 = \frac{4,700円 \times 2,500株 + 3,000円 \times 4,700株 + 5,600円 \times 2,800株}{2,500株 + 4,700株 + 2,800株}$$

$$= 4,153円$$

売却益＝（売り単価－買い単価）×売り株数

売却益＝(4,300円 − 4,153円) × 10,000株 = 1,470,000円

税額＝売却益×税率

税額＝1,470,000円 × 20.315% ≒ 298,630円

CH 6
証券税制

上場株式の評価

□□□ 38 上場銘柄Ａ社株式の１株当たりの９月30日の終値及び最近３カ月の最終価額の月平均額が以下のとおりである場合、当該株式の１株当たりの相続税の評価額はどれか。なお、当該株式の課税時期は９月30日とする。

重要度Ａ

(1)	９月30日の終値	3,600円
(2)	９月中の終値平均株価	3,660円
(3)	８月中の終値平均株価	3,650円
(4)	７月中の終値平均株価	3,700円
(5)	６月中の終値平均株価	3,570円

38 (1) 課税時期が9月30日で、以前3カ月間の毎日の最終価額の各月ごとの平均額のうち最も低い価額を超えていないので、評価額は9月30日の終値3,600円になる。

CHAPTER 7

株式会社法概論

CONTENTS

- 会社の形態
- 株式会社の設立
- 株主の権利
- 株式
- 株式会社の機関
- 会社の計算
- 新株発行・組織の再編

※本CHAPTERの掲載内容は、本書のシリーズ書籍『証券外務員一種』CHAPTER 7と共通です。

学習のポイント

会社の種類、株式会社の基本的事項について出題されます。株式会社の設立に際してのルール、株主の権利や株式の種類、株式会社の機関など、細かい知識が問われます。特に、株式会社の機関についてはよく整理する必要があります。計算問題の出題はなく、暗記分野といえるため、重要語句を中心に、確実に覚えておきましょう。

○×問題

次の文章のうち、正しいものには○を、
正しくないものには×をつけなさい。

株式会社・合名会社・合資会社・合同会社・持分会社

□□□ 1 会社法では、会社の形態として、株式会社、合名会社、合資会社の３種類を規定している。
重要度A

□□□ 2 合名会社の社員は、会社の債務につき、債権者に対して直接・連帯・無限の責任を負う。
重要度A

□□□ 3 合資会社には、無限責任社員１名以上と有限責任社員１名以上が必要である。
重要度B

□□□ 4 合名会社、合資会社、合同会社をまとめて持分会社という。
重要度C

資本金

□□□ 5 株式会社の最低資本金は、1,000万円とされている。
重要度A

大会社

□□□ 6 会社法で定める大会社の範囲は、資本金５億円以上で、かつ、負債総額200億円以上の会社とされる。
重要度A

解答・解説

1 × 会社法では、会社の形態として、株式会社、合名会社、合資会社、合同会社の**4種類**を規定している。

2 ○ 会社の形態による社員構成の違いは、以下のとおりである。

合名会社	無限責任社員１名以上
合資会社	無限責任社員１名以上と有限責任社員１名以上
合同会社	有限責任社員１名以上
株式会社	有限責任社員１名以上

3 ○ 上記2を参照のこと。

4 ○ 株式会社**以外**を持分会社という。

5 × 最低資本金制度は**廃止**されている。

6 × 資本金５億円以上**又は**負債総額200億円以上の会社とされる。

公開会社

□□□ 7 重要度A
会社法で定める公開会社は、その発行する全部の株式の内容として、譲渡による当該株式の取得について株式会社の承認を要する旨の定款の定めを設けていない株式会社をいう。

定款の作成

□□□ 8 重要度A
株式会社の発起人は、２人以上必要である。

□□□ 9 重要度A
法人は、株式会社を設立するための発起人となることはできない。

□□□ 10 重要度B
株式会社の設立に際し、あらかじめ株主間相互の同意を得た場合は、定款の作成を省略することができる。

□□□ 11 重要度C
定款に記載すべき事項の１つに「会社の目的」がある。

株式の発行・役員の選任

□□□ 12 重要度A
会社の設立に際し、発行する株式の全部を発起人だけで引き受けて設立することを発起設立という。

□□□ 13 重要度C
設立に際して選任される取締役は、当該設立が適正に行われたかどうかを調査する必要がある。

7 × 株式の全部又は一部について、株式の取得(譲渡)について会社の承認がいるという定款の定めがない会社とされる。

8 × 発起人は、1人でもよい。

9 × 法人も、株式会社を設立するための発起人となることができる。

10 × いかなる場合でも、定款の作成を省略することはできない。

11 ○ 定款には、会社の目的・商号・本店所在地、設立の際の出資額など、発起人の氏名又は名称及び住所等の法定の事項を記載しなければならない(絶対的記載事項)。

12 ○ 設立時に発行する株式数は、定款に定めた発行可能株式総数の4分の1以上を発行すればよいこととされているが、その株式の全部を発起人だけで引き受けるのが発起設立、発起人が一部を引き受け、残りについて株主を募集するのが募集設立である。

13 ○ 株式全部について出資全額の履行が完了すると、取締役を選任し、設立が適正に行われたかどうか調査する。

設立

□□□ 14 株式会社の発起人は１人でもよく、また、株主数が１人だけの株式会社を設立することもできる。
重要度A

□□□ 15 株式会社の設立手続きに重大な法令違反があった場合、当該設立の無効を主張できる者は、株主に限られる。
重要度C

□□□ 16 株式会社の設立の無効は、当該株式会社の取締役と株主が、その設立登記の日から１年以内に裁判所へ訴えることによってしか主張できない。
重要度B

単元株制度

□□□ 17 単元株制度において、単元株式数は最大限100株とされている。
重要度A

株式の種類

□□□ 18 ２種類以上の株式が並存する会社を「種類株式発行会社」という。
重要度A

□□□ 19 株式会社は、定款をもって一部の株式について異なる権利内容を定めることができる。
重要度A

□□□ 20 公開会社では、議決権制限株式は、発行済株式総数の３分の１までしか発行することができない。
重要度C

単独株主権と少数株主権

□□□ 21 少数株主権は、１株しか持たない株主でも行使できる権利のことをいう。
重要度A

⑭ ○ 株式会社を設立するには、発起人(１人でも、法人でもよい)が定款を作成して、これに署名する。また、株主数は1人でもよい。

⑮ × 株主、取締役(会社によっては、監査役・執行役・清算人も)に限られる。

⑯ × 設立の無効を訴えることができる期間は、１年以内ではなく、「2年以内」である。

---

⑰ × １単元は最大限1,000株以下かつ発行済株式総数の200分の１(0.5%)以下とされている。

---

⑱ ○ 定款で定めれば、一部の株式について異なる権利内容を定めることもでき、２種類以上の株式が並存する会社を「種類株式発行会社」という。

⑲ ○ 上記⑱を参照のこと。

⑳ × 議決権制限株式は、2分の1までしか発行できない。

㉑ × 記述は、「単独株主権」の説明である。少数株主権とは、一定割合以上の議決権又は株式数を持った株主だけが行使できる権利のことである。

□□□ 22 株主が有する権利のうち、株主の帳簿閲覧権は、単独株主権に含まれる。
重要度C

自己株式の規制

□□□ 23 自己株式の取得は、出資の払い戻しと同じであるため、いかなる場合も認められていない。
重要度A

子会社による親会社株式の取得

□□□ 24 子会社が親会社の株式を取得することは、原則として、禁止されている。
重要度C

株券の記載と効力

□□□ 25 株券には、代表取締役が署名又は記名押印する。
重要度C

招集と株主提案権

□□□ 26 株主総会には定時総会と臨時総会があり、このうち定時総会とは、毎決算期に１回、その年度の会社の成果を検討するために開催されるものをいう。
重要度C

□□□ 27 公開会社の議決権総数の１％以上の株式を引き続き６カ月以上保有している株主は、取締役に株主総会の招集を請求することができる。
重要度C

議決権

□□□ 28 株主総会では、各株主の投下した資本の額に比例して議決権が与えられるが、それは一般に株主有限責任の原則といわれている。
重要度C

□□□ 29 Ａ社がＢ社の総株主の議決権の４分の１以上の株式を持つときは、Ｂ社がＡ社株を持っていてもそれには議決権がない。
重要度A

22 × 帳簿閲覧権は、少数株主権に含まれる。

---

23 × 現在は、自己株式の取得を原則禁止とする規制が廃止され、取得後処分せずに保有することも認められている。

---

24 ○ 資本の空洞化を防ぐ観点から禁止されている。

---

25 ○ 株券には、会社の商号や株式数などを記載し、代表取締役が署名又は記名押印をする。

---

26 ○

27 × 議決権総数の１％以上ではなく、「3%以上」を保有する株主が請求できる。

---

28 × これは、一般に１株１議決権の原則（単元株制度をとる場合は１単元１議決権の原則）といわれている。

29 ○

□□□ 30 株主総会には、株主本人が出席し議決権を行使する必要があり、代理人による議決権の行使は認められていない。
重要度C

議事と決議

□□□ 31 取締役会を設置する会社の株主総会では、その招集通知に議題として掲げられていない事項について決議することは認められていない。
重要度C

□□□ 32 取締役の選任は株主総会の決議事項とされて、取締役の解任は監査役会の決議事項とされている。
重要度B

□□□ 33 株主総会の特別決議においては、発行済株式総数の３分の２以上に当たる株式を持つ株主が出席し、その議決権の過半数の賛成を得ることが求められる。
重要度C

□□□ 34 株式会社の解散原因に、株主総会の特別決議がある。
重要度A

□□□ 35 株主総会の議事録は、本店及び支店に10年間備え置かれる。
重要度A

違法な決議

□□□ 36 株主総会の決議が定款に違反している場合には、株主は決議の日から６カ月以内に訴訟を起こすことにより、その取消しを求めることができる。
重要度B

取締役

□□□ 37 取締役会を設置する会社には、取締役は３名以上必要である。
重要度B

30 × 株主総会には、株主本人が出席する必要はなく、代理人に議決権を行使させてもよい。

---

31 ○ なお、招集通知は、代表取締役が株主宛てに原則として株主総会の2週間前までに発しなければならない。

32 × 取締役の選任及び解任は株主総会の決議事項とされている。

33 × 株主総会の特別決議においては、議決権総数の過半数(定款で3分の1まで下げてよい)に当たる株式を持つ株主が出席し、その議決権の3分の2以上の賛成を得ることが求められる。

34 ○

35 × 本店には10年間、支店には5年間備え置かれる。

---

36 × 取消しを求めることができる期間は、6カ月以内ではなく、「3カ月以内」である。

---

37 ○

□□□ 38 取締役会を設置する会社には取締役は３名以上必要であり、取締役会を設置しない会社には取締役を置く必要はない。

重要度A

□□□ 39 取締役の報酬は定款又は監査役会で定められるものとされている。

重要度C

□□□ 40 取締役が任務を怠って会社に損害を与えたときには、当該損害に対して賠償責任を負うものとされているが、原則として、議決権の過半数による同意を得た場合には、この責任を免除することができる。

重要度B

□□□ 41 取締役会を設置する会社には、代表取締役が１名以上必要とされている。

重要度C

監査役

□□□ 42 公開会社は監査役を設置しなければならない。

重要度A

□□□ 43 監査役会を設置する会社の監査役は３名以上必要で、そのうち半数以上は社外監査役でなければならない。

重要度B

会計監査人

□□□ 44 会社法で定められた大会社は、監査役会を設置すれば会計監査人を設置しなくてもよい。

重要度A

□□□ 45 大会社においては、１名以上の会計監査人が必要であり、任期は監査役と同様４年である。

重要度C

38 × 取締役はすべての会社に必要で、取締役会を設置しない会社でも最低1人は必要である。

39 × 取締役の報酬は定款又は株主総会の普通決議で定められるものとされている。

40 × 免除できるのは、原則として、株主全員の同意を得た場合である。

41 ○ 取締役会設置会社には代表取締役が1名以上必要で、取締役会において取締役の中から選定する。なお、取締役会はいつでも代表取締役を解職できる。

---

42 ○ 監査役は、取締役や会計参与の職務を監査する職責を負う。非公開会社かつ非大会社および指名委員会等設置会社を除いて、株式会社は監査役を設置しなければならない。

43 ○ 公開会社である大会社には、監査役会の設置が必要で、監査役会を置く会社の監査役は3名以上、その半数以上は社外監査役でなければならない。

---

44 × 大会社は必ず会計監査人を設置しなければならない。

45 × 任期は4年ではなく、「1年」である。

□□□ 46 会計監査人を任期満了後に再任する場合、その都度、定時株主総会の再任決議を行わなければならない。
重要度C

委員会設置会社

□□□ 47 指名委員会等設置会社の監査委員会、指名委員会及び報酬委員会は、いずれの委員会も、そのメンバーは３名以上の取締役であり、過半数は社外取締役でなければならない。
重要度B

計算書類の作成と承認

□□□ 48 計算書類については、定時株主総会の承認決議が必要である。
重要度C

開示（ディスクロージャー）

□□□ 49 大会社は定時株主総会終了後、貸借対照表及び損益計算書のほか、事業報告についても公告しなければならない。
重要度A

□□□ 50 「会社法」における「大会社」は、定時株主総会終了後、貸借対照表及び損益計算書を必ず官報又は日刊新聞紙で公告しなければならない。
重要度A

□□□ 51 大会社について、公告が必要とされる計算書類は、貸借対照表のみである。
重要度A

配当

□□□ 52 分配可能額がないのに行われた配当は無効であり、監査役は、株主に対してこれを会社へ返還するよう要求できる。
重要度A

□□□ 53 剰余金の配当は分配可能額の範囲内でなされる必要があるが、一事業年度において配当を行うことのできる回数は２回までである。
重要度A

46 × 定時株主総会が特に不再任を決議しない限り、自動的に更新される。

---

47 ○

---

48 ○ 計算書類(貸借対照表、損益計算書、株主資本等変動計算書、個別注記表)は定時総会に提出して承認を受けるが、事業報告についてはその内容の報告だけでよい。

---

49 × 事業報告は公告の必要はない。

50 × ホームページなどコンピュータを使う方法(電子公告)でもよい。

51 × 大会社は定時株主総会終了後、貸借対照表及び損益計算書の公告を行わなければならない。

---

52 × 返還は会社債権者が株主に対して要求できる。

53 × 一事業年度に何度でも配当できる。

□□□ 54 配当の時期は、中間と期末の２回しか認められていない。

重要度B

新株予約権の意義と効用

□□□ 55 会社は、新株予約権者が新株予約権を行使した場合、必ずその者に新株を発行しなければならない。

重要度C

合併・分割

□□□ 56 ２つ以上の会社が合併して１つの会社になる方法には、当事会社の全部が解散して新会社を設立する新設合併と、当事会社の１つが存続して他の会社を吸収する吸収合併がある。

重要度A

□□□ 57 会社の分割のうち、会社の１部門を切り離して別会社として独立させる方法を新設分割という。

重要度A

□□□ 58 会社の分割は、事業譲渡と同様に、分割の対象となる部門を構成する権利義務が個別に別会社に移転される。

重要度C

□□□ 59 新設分割を実施する場合、原則として、株主総会の普通決議でそれを承認する必要がある。

重要度C

□□□ 60 ２つ以上の会社が合併により１つの会社になる方法には、当事会社の１つが存続して他の会社を吸収する吸収合併のみが認められている。

重要度A

事業の譲渡・譲受け

□□□ 61 会社が事業の全部を譲渡しても、当該会社は当然には解散はしない。

重要度A

54 ×　一事業年度に何度でも配当できる。

---

55 ×　そのほかに、手持ちの自己株式を移転する方法もある。

---

56 ○　なお、合併により消滅する会社の財産が包括的に新設会社又は存続会社に移転する。

57 ○　なお、分割される部門を構成する権利義務が個別に移転するのではなく、部門ごとに一括して承継される。

58 ×　分割の場合は、事業譲渡と違って、その部門を構成する権利義務が個別に移転されるのではなく、部門ごと一括して承継される。

59 ×　株主総会の特別決議で承認する。

60 ×　２つ以上の会社が合併して１つの会社になる方法には、当事会社の全部が解散して新会社を設立する新設合併と、当事会社の１つが存続して他の会社を吸収する吸収合併がある。

---

61 ○　解散する場合には、別途、清算手続きなどを行う必要がある。

CHAPTER

8

付随業務

CONTENTS

- 付随業務の種類
- 付随業務の内容（主なもの）

※本CHAPTERの掲載内容は、本書のシリーズ書籍『証券外務員一種』CHAPTER8と共通です。

学習のポイント！

出題ウェイトは他の科目と比較してそれほど多くはないものの、付随業務の特徴などが出題されています。特に、付随業務のうち「株式累積投資」については詳細に問われる傾向にあるため、しくみや内容を理解しておきましょう。

○×問題

次の文章のうち、正しいものには○を、正しくないものには×をつけなさい。

金融商品取引業以外の業務

□□□ 1 重要度C

投資信託委託会社の発行する投資信託又は外国投資信託の受益証券に係る収益金、償還金又は解約金の支払いに係る業務の代理は付随業務である。

□□□ 2 重要度C

投資法人の発行する投資証券もしくは投資法人債券又は外国投資証券に係る金銭の分配、払戻金もしくは残余財産の分配又は利息もしくは償還金の支払いに係る業務の代理は金融商品取引業務である。

キャッシング業務

□□□ 3 重要度C

キャッシング業務とは、MRF等の解約請求を行った顧客に対し、解約に係る金銭が支払われるまでの間、当該MRF等を担保として解約代金相当額の貸付けを行う業務である。

□□□ 4 重要度C

キャッシング業務に係る貸付限度額は、100万円までとされる。

□□□ 5 重要度A

キャッシング業務に係る貸付利息は、解約請求日から翌営業日までのMRF等の分配金手取額である。

□□□ 6 重要度B

キャッシング業務に係る貸付期間は、貸付けが行われた日から起算して7営業日目の日までの間とされる。

□□□ 7 重要度A

キャッシングの申込みは、書面により行う必要がある。

解答・解説

1 ○

2 × 付随業務である。

3 ○

4 × 各ファンド毎にそれぞれの残高に基づき計算した返還可能金額又は500万円までのいずれか少ない額である。

5 × 貸付利息は、解約請求日から翌営業日前日までのMRF等の分配金手取額である。

6 × 翌営業日までである。

7 × 書面による申込みは不要である。

□□□ 8 金融商品取引業者が顧客からキャッシングを受け付ける場合、個別の取引の都度、当該顧客に対して貸付限度額その他貸付条件等について記載した書面を必ず交付し、当該顧客の意思を確認したうえで申込みを受け付けなければならない。

重要度B

公社債の払込金の受入れ及び元利金支払いの代理業務

□□□ 9 付随業務に該当するものに、公社債の払込金の受入れ及び元利金支払いの代理業務がある。

重要度B

株式事務の取次ぎ業務

□□□ 10 株式事務の取次ぎ業務とは、顧客からの請求に基づき、株式事務を発行会社または証券保管振替機構に取り次ぐ業務のことであり、転換社債型新株予約権付社債の新株予約権の行使処理の取次ぎ業務は含まれない。

重要度C

有価証券に関する常任代理業務

□□□ 11 有価証券に関する常任代理業務の範囲には、有価証券の名義書換えの代行及び寄託の受入れに係る業務、議決権の代理行使に係る業務が含まれる。

重要度C

株式累積投資

□□□ 12 「株式累積投資」に関して、ドル・コスト平均法とは、株価の動きやタイミングなどに関係なく、株式を定期的に継続して一定金額ずつ購入する方法である。

重要度A

インサイダー取引規制の適用除外

□□□ 13 「株式累積投資」に関して、インサイダー取引規制の適用除外となる1回当たりの買付代金の払込金に制限はない。

重要度C

8 × 取引開始時の包括契約の締結によることも可能である。

---

9 ○

---

10 × 転換社債型新株予約権付社債の新株予約権の行使処理の取次ぎ業務は含まれる。

---

11 ○ 外国投資家との委任契約に基づいて、事務手続きの全部又は一部を代理・代行する業務であり、有価証券の名義書換の代行及び寄託の受入れ、議決権の代理行使などがある。

---

12 ○ 株式累積投資は、決まった銘柄を株価水準に関係なく、定期的に一定金額を継続して買付けるため、「ドル・コスト平均法」の投資効果が期待できる。

---

13 × インサイダー取引規制の適用除外となる払込金は１銘柄につき１カ月当たり100万円未満とされている。

□□□ 14 「株式累積投資」に関して、取引所有価証券市場を通じて買付注文を執行する場合、インサイダー取引規制の適用除外となるためには一定の計画にしたがい、個別の投資判断に基づかない方法により、継続的に行う必要がある。

重要度C

□□□ 15 インサイダー情報を知った会社関係者がその情報が公開される前に株式累積投資契約に基づく買付けを行った場合、その情報を知る前に締結された契約に基づく定期的な買付けであった場合でもインサイダー取引規制の違反となる。

重要度B

有価証券に関連する情報の提供又は助言

□□□ 16 有価証券に関連する情報の提供又は助言に係る業務とは、金融商品取引業者が金融商品取引業、その他有価証券に関連するノウハウ等を顧客に提供することにより、相手方からそれに対しての報酬を受け取る業務のことである。

重要度C

5肢選択問題

次の文章のうち、正しいものの番号を1つ選びなさい。

金融商品取引業以外の業務

□□□ 17 付随業務に該当しないものはどれか。

重要度A

(1) 有価証券の貸借又はその媒介もしくは代理
(2) 信用取引に付随する金銭の貸付け
(3) 有価証券の売買の媒介、取次ぎ又は代理
(4) 顧客から保護預りをしている有価証券を担保とする金銭の貸付け
(5) 有価証券に関連する情報の提供又は助言

⑭ ○ なお、インサイダー情報を知った会社関係者等が、その情報が公表される前に、株式累積投資契約に基づく買付けを行った場合でも、その買付けが、その情報を知る前に締結された株式累積投資契約に基づく定期的な買付けである限り、インサイダー取引規制の違反となることはない。

⑮ × 情報を知る前に結んだ契約に基づく買付けについては、違反にならない。

---

⑯ ○ ただし、投資顧問契約を締結し、当該投資顧問契約に基づいて助言を行う行為に該当するものは除かれる。

解答・解説

---

⑰ (3) (3)の有価証券の売買の媒介、取次ぎ又は代理は金融商品取引業務である。

□□□ 18 付随業務に該当するものはどれか。

重要度A

(1) 商品市場における取引に係る業務
(2) 貸金業その他金銭の貸付け又は金銭の貸借の媒介に係る業務
(3) 店頭デリバティブ取引
(4) 私設取引システム（PTS）運営業務
(5) 有価証券に関する顧客の代理

□□□ 19 付随業務に該当しないものはどれか。

重要度A

(1) 有価証券又はデリバティブ取引に係る権利以外の資産に対する投資として、運用財産の運用を行う業務
(2) 累積投資契約の締結
(3) 他の金融商品取引業者等の業務の代理
(4) 登録投資法人の資産の保管
(5) 他の事業者の経営に関する相談に応じること

⑱ (5) (1)商品市場における取引に係る業務、(2)貸金業その他金銭の貸付け又は金銭の貸借の媒介に係る業務は届出業務で、(3)店頭デリバティブ取引、(4)私設取引システム(PTS)運営業務は金融商品取引業務である。

⑲ (1) (1)有価証券又はデリバティブ取引に係る権利以外の資産に対する投資として、運用財産の運用を行う業務は届出業務である。

CHAPTER 9

財務諸表と企業分析

CONTENTS

- 貸借対照表
- 損益計算書
- 収益性分析
- 成長性分析
- 配当性向
- 安全性分析
- 資本効率分析
- 損益分岐点分析
- キャッシュ・フロー計算書とキャッシュ・フロー分析
- 連結財務諸表の仕組み

※本CHAPTERの掲載内容は、本書のシリーズ書籍『証券外務員一種』CHAPTER9と共通です。

学習のポイント！

証券投資分析に欠かすことのできない財務諸表の基本的な見方とそれらを用いた企業分析の手法を学習します。類似した公式が多いため、穴埋めの練習問題を活用して公式の違いを整理して覚える方法が有効です。計算問題は何度も繰り返し解くようにしましょう。

○×問題

次の文章のうち、正しいものには○を、
正しくないものには×をつけなさい。

三つの財務諸表の関係

□□□ 1 損益計算書とは、一定期間における企業の利益獲得過程を表したものである。
重要度C

□□□ 2 貸借対照表とは、一定時点における資金の源泉と使途の関係を一覧表示するものである。
重要度A

□□□ 3 損益計算書は、一定時点における資金の源泉と使途の関係を一覧するものであり、これによって財政状態の一覧も可能となる。
重要度A

連結貸借対照表

□□□ 4 連結貸借対照表において、退職給付に係る負債は固定負債に分類される。
重要度C

連結損益計算書

□□□ 5 損益計算書では、受取配当金は営業外収益に分類される。
重要度A

□□□ 6 損益計算書では、支払利息は営業外収益に分類される。
重要度A

資産の分類一覧

□□□ 7 売掛金は、貸借対照表においては、当座資産に分類される。
重要度C

解答・解説

1 ○ 収益と費用の差額により、企業の経営成績を示す利益を計算する。

2 ○ これにより、企業の財政状態を示すものである。

3 × 記述は、「貸借対照表」の説明である。損益計算書は、一定期間における企業の利益獲得過程を表示するもので、これによって経営成績の一覧が可能となる。

4 ○ なお、個別貸借対照表においては退職給付引当金とされ、「固定負債」に分類される。

5 ○ 受取配当金や受取利息などは、「営業外収益」に分類される。

6 × 支払利息は、営業外収益ではなく、「営業外費用」に分類される。

7 ○ 売掛金は、「流動資産」のうち「当座資産」に分類される。

□□□ 8 貸借対照表において、特許権は流動資産に分類される。
重要度A

□□□ 9 支払手形は、貸借対照表においては、流動負債に分類される。
重要度C

資産項目の説明

□□□ 10 当座資産とは、販売過程を経ることなく比較的短期間に容易に現金化することのできる資産をいう。
重要度A

□□□ 11 たな卸資産とは、半製品のように販売資産となるために生産過程の途中にある資産をいい、原材料や製品は含まれない。
重要度B

□□□ 12 有形固定資産とは、生産準備手段として役立つ実体価値を有する資産をいい、土地、建物及び機械装置が、これに含まれる。
重要度A

損益計算書の仕組み

□□□ 13 営業利益は、(純)売上高から売上原価を差し引いて求められる。
重要度C

非支配株主持分・親会社持分

□□□ 14 連結貸借対照表上の非支配株主持分とは、子会社の資本のうち親会社に帰属する部分のことをいう。
重要度C

非連結子会社

□□□ 15 親会社は、いかなる場合でも、すべての子会社について連結財務諸表の連結の範囲に含めなければならない。
重要度A

□□□ 16 親会社は、すべての子会社について連結財務諸表の作成の対象に含めなければならない。
重要度B

8 × 特許権は、流動資産ではなく、「固定資産」に分類される。

9 ○ 支払手形、買掛金、短期借入金などは、「流動負債」に分類される。

---

10 ○ 現金・預金、受取手形、売掛金、一時所有の有価証券などが該当する。

11 × 原材料や製品も含まれる。

12 ○ この他に、構築物、車両運搬具、器具備品などがある。

---

13 × 記述は、売上総利益の説明である。営業利益は、さらに販売費及び一般管理費も差し引いて求める。

---

14 × 子会社の資本のうち親会社に帰属しない部分のことをいう。

---

15 × 支配が一時的である場合などは、連結の範囲に含めてはならない。

16 × 支配が一時的であると認められる会社などは、連結の範囲に含めてはならない。

子会社の資産・負債の時価評価と連結貸借対照表の作成

□□□ 17 連結貸借対照表は、親会社が他の会社を支配するに至った日(支配獲得日)において作成するものとされている。

重要度A

キャッシュ・フロー計算書とは

□□□ 18 キャッシュ・フロー計算書は、企業活動の状況を営業活動、投資活動、財務活動という3領域に区分し、そこでのキャッシュ・フローの状況から、企業活動全般の動きを捉えようとするものである。

重要度A

資本金(純)利益率の意味

□□□ 19 当期純利益が同額の企業間において、資本金の額の少ない企業の方が資本金(純)利益率は低くなる。

重要度C

流動比率

□□□ 20 流動比率は、企業の短期の返済能力を判定するために用いられる比率であり、通常200%以上であることが望ましい。

重要度C

当座比率

□□□ 21 当座比率を求める式は下記のとおりである。

重要度B

$$当座比率(\%) = \frac{当座資産}{自己資本} \times 100$$

□□□ 22 当座比率は安全性分析の観点では、一般に100%未満であることが望ましいとされている。

重要度A

⑰ ○

⑱ ○

⑲ × この場合は、資本金の額の少ない企業の方が資本金(純)利益率は高くなる。

$$資本金(純)利益率(\%) = \frac{(純)利益}{資本金} \times 100$$

⑳ ○

$$流動比率(\%) = \frac{流動資産}{流動負債} \times 100$$

㉑ × 正しい式は次のとおりである。

$$当座比率(\%) = \frac{当座資産}{流動負債} \times 100$$

㉒ × 一般に、100%以上であることが望ましい。

固定比率

□□□ 23 一般に固定比率は、100%以下が望ましいとされている。

重要度A

自己資本比率

□□□ 24 自己資本比率とは、総資本に占める自己資本の割合を示すものであり、一般にその比率が低いほどよいと考えられている。

重要度B

総資本回転率

□□□ 25 一般に、総資本回転率が低いほど、資本効率は高いことになる。

重要度A

総資本利益率と総資本回転率との関係

□□□ 26 売上高(純)利益率が一定である場合は、総資本回転率を高めると総資本(純)利益率は低下する。

重要度A

売上高成長率

□□□ 27 売上高成長率を求める式は下記のとおりである。

重要度C

$$売上高成長率(\%)=\frac{前期売上高}{当期売上高}\times 100$$

配当性向

□□□ 28 配当性向は、当期(純)利益に対する配当金の割合を示すものであり、配当性向が低いということは、内部留保率が低いことを意味する。

重要度A

㉓ ○

$$固定比率(\%) = \frac{固定資産}{自己資本} \times 100$$

㉔ ×　一般に高いほどよい。

㉕ ×　総資本回転率が高いほど、資本効率は高い。

㉖ ×　総資本回転率を高めると、総資本(純)利益率は上昇する。

㉗ ×　正しい式は次のとおり。

$$売上高成長率(\%) = \frac{当期売上高}{前期売上高} \times 100$$

㉘ ×　配当性向が低いということは、内部留保率が高いことを意味する。

5肢選択問題　次の文章のうち、正しいものの番号を1つ選びなさい。

損益計算書の仕組み

□□□ 29 重要度A

ある会社(年１回決算)の期末現在の損益計算書から抜粋した科目及び金額は次のとおりである。(　　　)に当てはまる数字として正しいものはどれか。

(単位：百万円)

科　目	金　額
(経常損益の部)	
営業損益	
売上高	130,000
売上原価	75,000
販売費及び一般管理費	10,000
営業利益	(　イ　)
営業外損益	
営業外収益	7,000
営業外費用	3,400
経常利益	(　ロ　)
(特別損益の部)	
特別利益	800
特別損失	400
税引前当期利益	(　ハ　)
法人税、住民税及び事業税	22,400
当期純利益	(　ニ　)

(1) イは65,000

(2) ロは29,600

(3) ハは10,600

(4) ハは44,000

(5) ニは26,600

解答・解説

29 (5)

（イ） 営業利益＝売上高－売上原価－販売費及び一般管理費

営業利益＝130,000百万円－75,000百万円－10,000百万円
＝45,000百万円

（ロ） 経常利益＝営業利益＋営業外収益－営業外費用

経常利益＝45,000百万円＋7,000百万円－3,400百万円
＝48,600百万円

（ハ） 税引前当期利益＝経常利益＋特別利益－特別損失

税引前当期利益＝48,600百万円＋800百万円－400百万円
＝49,000百万円

（ニ） 当期純利益＝税引前当期利益－法人税、住民税及び事業税

当期純利益＝49,000百万円－22,400百万円
＝26,600百万円

□□□ 30 損益計算書から抜粋した金額(単位：百万円)が、次のとおりである上場会社Ｂ社に関する記述として、正しいものはどれか。なお、Ｂ社の年間配当金額は、前期・当期とも700百万円とする。

重要度C

注)比率は、小数第２位以下を切り捨ててある。

	前期	当期
売上高	74,000	85,000
売上原価	52,000	62,000
販売費及び一般管理費	19,000	20,000
営業外損益	▲2,000	▲1,000
特別損益	300	0
法人税、住民税及び事業税	600	1,000

(1) 当期の売上高経常利益率は、3.3%である。

(2) 当期の売上高(純)利益率は、0.8%である。

(3) 当期の利益成長率は、70.0%である。

(4) 当期の売上高成長率は、137.0%である。

(5) 当期の配当性向は、前期に比べて30.0%低い。

30 (5) (1) 経常利益＝売上高－売上原価－販売費及び一般管理費＋営業外損益

経常利益＝85,000百万円－62,000百万円－20,000百万円＋(▲1,000百万円)＝2,000百万円

$$売上高経常利益率 = \frac{経常利益}{売上高} \times 100$$

$$売上高経常利益率 = \frac{2{,}000百万円}{85{,}000百万円} \times 100 \fallingdotseq 2.3\%$$

(2) 当期(純)利益＝経常利益＋特別損益－法人税、住民税及び事業税

当期(純)利益＝2,000百万円＋0－1,000百万円＝1,000百万円

$$売上高(純)利益率 = \frac{当期純利益}{売上高} \times 100$$

$$売上高(純)利益率 = \frac{1{,}000百万円}{85{,}000百万円} \times 100 \fallingdotseq 1.1\%$$

(3) 前期(純)利益＝売上高－売上原価－販売費及び一般管理費＋営業外損益＋特別損益－法人税､住民税及び事業税

前期(純)利益＝74,000百万円－52,000百万円－19,000百万円
＋(▲2,000百万円)＋300百万円－600百万円＝700百万円

$$利益成長率 = \frac{当期(純)利益}{前期(純)利益} \times 100$$

$$利益成長率 = \frac{1{,}000百万円}{700百万円} \times 100 \fallingdotseq 142.8\%$$

(4)
$$売上高成長率 = \frac{当期売上高}{前期売上高} \times 100$$

$$売上高成長率 = \frac{85{,}000百万円}{74{,}000百万円} \times 100 \fallingdotseq 114.8\%$$

(5)
$$当期配当性向 = \frac{当期配当金}{当期(純)利益} \times 100$$

$$当期配当性向 = \frac{700百万円}{1{,}000百万円} \times 100 = 70\%$$

$$前期配当性向 = \frac{前期配当金}{前期(純)利益} \times 100$$

$$前期配当性向 = \frac{700百万円}{700百万円} \times 100 = 100\% \quad \therefore 70\% - 100\% = ▲30\%$$

安全性分析

□□□ 31 貸借対照表から抜粋した金額(単位：百万円)が、次のとおりである上場会社Ａ社に関する記述として、正しいものはどれか。なお、Ａ社の当期の売上高は、74,000百万円とする。

重要度C

注)比率は、小数第２位以下を切り捨ててある。

	前期	当期
流動資産	43,000	34,000
(うち当座資産)	(19,000)	(16,000)
固定資産	91,000	96,000
流動負債	50,000	59,000
固定負債	56,000	44,000
純資産合計(自己資本)	28,000	27,000

(1) 当期の当座比率は、57.6%である。

(2) 当期の負債比率は、381.4%である。

(3) 当期の自己資本比率は、20.9%である。

(4) 当期の総資本回転率は、0.8回である。

(5) 当期の固定長期適合率は、108.3%である。

31 (2)

(1) $当座比率 = \frac{当座資産}{流動負債} \times 100$

$当座比率 = \frac{16{,}000百万円}{59{,}000百万円} \times 100 \fallingdotseq 27.1\%$

(2) $負債比率 = \frac{流動負債 + 固定負債}{自己資本} \times 100$

$負債比率 = \frac{59{,}000百万円 + 44{,}000百万円}{27{,}000百万円} \times 100 \fallingdotseq 381.4\%$

(3) $自己資本比率 = \frac{自己資本}{総資本} \times 100$

$自己資本比率 = \frac{27{,}000百万円}{59{,}000百万円 + 44{,}000百万円 + 27{,}000百万円} \times 100$

$\fallingdotseq 20.7\%$

(4) $総資本回転率 = \frac{売上高}{総資本（期首・期末平均）}$

$総資本回転率 = \frac{74{,}000百万円}{(134{,}000百万円 + 130{,}000百万円) \div 2} \fallingdotseq 0.5回$

(5) $固定長期適合率 = \frac{固定資産}{固定負債 + 自己資本} \times 100$

$固定長期適合率 = \frac{96{,}000百万円}{44{,}000百万円 + 27{,}000百万円} \times 100 \fallingdotseq 135.2\%$

□□□ 32 重要度C

次の表は、A社、B社の貸借対照表の構成割合を表したものである。固定長期適合率及び流動比率についてA社とB社の比較として正しいものはどれか。

A社	
流動資産　10%	流動負債　60%
固定資産　90%	固定負債　30%
	自己資本　10%

B社	
流動資産　80%	流動負債　20%
固定資産　20%	固定負債　70%
	自己資本　10%

(1) 固定長期適合率はA社＝B社、流動比率はA社＝B社
(2) 固定長期適合率はA社＜B社、流動比率はA社＞B社
(3) 固定長期適合率はA社＜B社、流動比率はA社＜B社
(4) 固定長期適合率はA社＞B社、流動比率はA社＜B社
(5) 固定長期適合率はA社＞B社、流動比率はA社＞B社

32 (4)

$$固定長期適合率 = \frac{固定資産}{固定負債＋自己資本} \times 100$$

$$A社 = \frac{90}{30 + 10} \times 100 = 225\%$$

$$B社 = \frac{20}{70 + 10} \times 100 = 25\%$$

∴A社＞B社

$$流動比率 = \frac{流動資産}{流動負債} \times 100$$

$$A社 = \frac{10}{60} \times 100 \fallingdotseq 16.6\%$$

$$B社 = \frac{80}{20} \times 100 = 400\%$$

∴A社＜B社

負債比率

□□□ 33 貸借対照表上の金額が次のとおりであり、負債比率が300%である場合の自己資本の数値はどれか。

重要度C

注）単位は表中、答とも百万円である。

流動資産	2,000
流動負債	4,000
固定負債	6,500

(1) 2,000
(2) 2,500
(3) 3,000
(4) 3,500
(5) 4,000

㉝（4）

$$負債比率 = \frac{流動負債＋固定負債}{自己資本} \times 100$$

$$負債比率 = \frac{4{,}000百万円 + 6{,}500百万円}{X} \times 100 = 300\%$$

$X = 3{,}500$百万円

キャッシュ・フロー分析

□□□ 34 キャッシュ・フロー計算書と貸借対照表から抜粋した金額が次のとおりである会社に関して、正しい組合せはどれか。

重要度C

	（単位：百万円）
売上高	33,000
営業活動によるキャッシュ・フロー	800
投資活動によるキャッシュ・フロー	▲400
財務活動によるキャッシュ・フロー	1,000

		（単位：百万円）
流動負債	支払手形・買掛金	5,000
	短期借入金	1,800
	その他	3,000
		（単位：百万円）
固定負債	長期借入金	6,200
	退職給付引当金	1,800
	その他	600

イ．売上高営業キャッシュ・フロー比率は、1.2％である。
ロ．営業キャッシュ・フロー流動負債比率は、8.1％である。
ハ．営業キャッシュ・フロー有利子負債比率は、10.0％である。

(1) イ及びロ
(2) イ及びハ
(3) ロ及びハ
(4) ロのみ
(5) ハのみ

34 (3)

イ.

$$売上高営業キャッシュ・フロー比率 = \frac{営業活動によるキャッシュ・フロー}{売上高} \times 100$$

$$売上高営業キャッシュ・フロー比率 = \frac{800百万円}{33{,}000百万円} \times 100 \fallingdotseq 2.4\%$$

ロ.

$$営業キャッシュ・フロー流動負債比率 = \frac{営業活動によるキャッシュ・フロー}{流動負債残高} \times 100$$

$$営業キャッシュ・フロー流動負債比率 = \frac{800百万円}{5{,}000百万円 + 1{,}800百万円 + 3{,}000百万円} \times 100 \fallingdotseq 8.1\%$$

ハ.

$$営業キャッシュ・フロー有利子負債比率 = \frac{営業活動によるキャッシュ・フロー}{有利子負債残高} \times 100$$

$$営業キャッシュ・フロー有利子負債比率 = \frac{800百万円}{1{,}800百万円 + 6{,}200百万円} \times 100 = 10.0\%$$

配当率・配当性向とは何か

□□□ 35 資料から抜粋した金額が次のとおりである会社の配当率及び配当性向の組み合わせとして正しいものはどれか。

重要度A

注)計算に当たっては、小数第2位を切り捨ててある。

発行済株式総数	1,800千株
中間配当/ 9.0円	期末配当/ 8.0円

(単位:百万円)

純資産合計	資本金	210
	剰余金等	2,400

(単位:百万円)

売上高	40,000
売上原価	36,000
販売費及び一般管理費	3,000
営業外損益	200
特別損益	▲400
法人税、住民税及び事業税	400

	(配当率)	(配当性向)
(1)	1.1%	7.6%
(2)	14.5%	2.5%
(3)	14.5%	7.6%
(4)	76.0%	2.5%
(5)	76.0%	14.5%

35 (3)

$$配当金(年額)=(中間配当+期末配当)\times 発行済株式総数$$

配当金(年額)=(9円+8円)×1,800千株
=30,600千円(30.6百万円)

$$当期純利益=売上高-売上原価-\begin{matrix}販売費及び\\一般管理費\end{matrix}+営業外損益+特別損益-\begin{matrix}法人税、住民税\\及び事業税\end{matrix}$$

当期純利益=40,000百万円-36,000百万円-3,000百万円
+200百万円+(▲400百万円)-400百万円
=400百万円

$$配当率=\frac{配当金}{資本金}\times 100$$

$$配当率=\frac{30.6百万円}{210百万円}\times 100$$

$$\fallingdotseq 14.5\%$$

$$配当性向=\frac{配当金}{当期純利益}\times 100$$

$$配当性向=\frac{30.6百万円}{400百万円}\times 100$$

$$\fallingdotseq 7.6\%$$

CHAPTER 10

金融商品取引法

CONTENTS

※本CHAPTERの掲載内容は、本書のシリーズ書籍『証券外務員一種』CHAPTER10と共通です。

学習のポイント！

金融商品取引法は、いわば金融商品市場の憲法ともいえる法律です。金融商品市場の担い手である金融商品取引業者等に関する規制を中心に、さまざまな規制を学習します。法律に関連する用語が多く登場するため、用語に慣れることが重要です。範囲も広いですが、その分、試験における出題頻度及びウェイトも高いといえます。

○×問題

次の文章のうち、正しいものには○を、
正しくないものには×をつけなさい。

金融商品取引法

□□□ 1
重要度A

金融商品取引法が規制対象とする有価証券には、株式や債券だけでなく、小切手も含まれる。

□□□ 2
重要度C

金融商品取引法は、企業内容等の開示の制度を整備するとともに、金融商品取引業を行う者に関し必要な事項を定め、金融商品取引所の適切な運営を確保すること等により、有価証券の発行及び金融商品等の取引等を公正にし、有価証券の流通を円滑にするほか、資本市場の機能の十全な発揮による金融商品等の公正な価格形成等を図り、もって金融商品取引業の健全な発展及び投資者の保護に資することを目的としている。

金融商品取引業者

□□□ 3
重要度A

金融商品取引業者とは、内閣総理大臣の登録を受け、金融商品取引業を営む者である。

金融商品取引業の内容

□□□ 4
重要度B

有価証券の売買の媒介とは、自己の名をもって委託者の計算で有価証券を買い入れ又は売却すること等を引き受けることをいう。

□□□ 5
重要度B

有価証券の売買の取次ぎとは、自己の名をもって委託者の計算で有価証券を買い入れ又は売却すること等を引き受けることである。

解答・解説

1 × 金融商品取引法が規制対象とする有価証券は、第２条第１項で定める第一項有価証券と、第２条第２項で定める第二項有価証券が該当し、小切手や約束手形は含まれない。なお、暗号等資産(仮想通貨など)も規制対象となっている。

2 × 金融商品取引法は、企業内容等の開示の制度を整備するとともに、金融商品取引業を行う者に関し必要な事項を定め、金融商品取引所の適切な運営を確保すること等により、有価証券の発行及び金融商品等の取引等を公正にし、有価証券の流通を円滑にするほか、資本市場の機能の十全な発揮による金融商品等の公正な価格形成等を図り、もって国民経済の健全な発展及び投資者の保護に資することを目的としている。

3 ○ 金融商品取引業を営むためには、内閣総理大臣(金融庁長官)の登録を受けなければならない。

4 × 記述は、「取次ぎ」の説明である。媒介とは、他人間の取引の成立に尽力することをいう。

5 ○

□□□ 6 有価証券の売出しとは、既に発行された有価証券の取得の申込みの勧誘のうち、第一項有価証券については、多数(50名以上)の者を相手方として行う場合のことをいう。

重要度C

□□□ 7 有価証券の募集とは、新たに発行される有価証券の取得の申込みの勧誘のうち、第一項有価証券については、多数(50名以上)の者を相手方として行う場合のことをいう。

重要度C

金融商品取引業の分類

□□□ 8 有価証券の引受けは、第一種金融商品取引業者の行う業に含まれる。

重要度A

□□□ 9 第二種金融商品取引業の範囲には、委託者指図型投資信託の受益証券の募集・私募が含まれる。

重要度B

金融商品取引業の登録

□□□ 10 金融商品取引業は、内閣総理大臣の登録を受けた者でなければ行うことができない。

重要度A

□□□ 11 有価証券店頭デリバティブ取引業務を行おうとするときは、内閣総理大臣の認可が必要である。

重要度A

□□□ 12 有価証券の元引受業務を行おうとするときは、内閣総理大臣の認可が必要である。

重要度A

6 ○ 有価証券の売出しとは、既に発行された有価証券の売付けの申込み又はその買付けの申込みの勧誘のうち、第一項有価証券については、多数の者(50名以上)を相手方として行う場合、第二項有価証券については、売出しに係る有価証券を相当程度多数の者(500名以上)が所有することとなる場合をいう。

7 ○ 有価証券の取得の申込みの勧誘には次の２つがある。
新たに発行される有価証券→「募集」
既に発行された有価証券→「売出し」

---

8 ○

9 ○

---

10 ○ 金融商品取引業は、内閣総理大臣の登録を受けた者でなければ行うことができない。なお、金融商品取引法の施行に伴い、従来、認可制とされてきた「有価証券店頭デリバティブ取引」と「元引受業務」は、登録制に変更された。

11 × 有価証券店頭デリバティブ取引業務は、登録制である。

12 × 有価証券の元引受業務は、登録制である。

□□□ 13 私設取引システム(PTS)運営業務を行おうとするときは、内閣総理大臣の認可が必要である。
重要度B

商号等の使用制限

□□□ 14 金融商品取引業者でない者は、金融商品取引業者という商号もしくは名称又はこれに紛らわしい商号もしくは名称を用いてはならない。
重要度B

外務員登録・外務行為

□□□ 15 金融商品取引業者等は、有価証券の売買の勧誘を行う者については、例外なく外務員の登録をしなければならない。
重要度A

□□□ 16 金融商品取引業者等は、営業所外の場所で外務行為を行う者については、外務員登録を行わなければならないが、営業所内で外務行為を行う者については、外務員の登録を要しない。
重要度A

□□□ 17 金融商品取引業者等は、投資者保護上問題がないと認められる場合には、登録を受けた外務員以外の者にも外務行為を行わせることができる。
重要度A

□□□ 18 金融商品取引業者等は、やむを得ない場合には、登録を受けた外務員以外の者にも外務行為を行わせることができる。
重要度A

□□□ 19 金融商品取引業者等は、登録を受けた外務員以外の者に外務行為を行わせてはならない。
重要度A

□□□ 20 ある金融商品取引業者の外務員として登録を受けている者は、別の金融商品取引業者の外務員として登録を受けて外務行為を行うことができない。
重要度B

⑬ ○ ＰＴＳ（私設取引システム）は、取引所外売買の形態の１つで、金融商品取引法の定めにより内閣総理大臣の認可を受けた金融商品取引業者が開設・運営する「電子取引の場」である。

---

⑭ ○

---

⑮ ○ 外務行為を行うには外務員試験の合格だけでは足りず、登録を受けることが必要である。

⑯ × 金融商品取引業者等の使用人については営業所の内外を問わず、外務行為を行う者についてはすべて外務員とされ、外務員の登録を要する。

⑰ × 金融商品取引業者等は、登録を受けた外務員以外の者に外務行為を行わせてはならない。

⑱ × 上記⑰を参照のこと。

⑲ ○ 上記⑰を参照のこと。

⑳ ○ 二重登録は禁止されている。

□□□ 21 外務員は、同時に複数の金融商品取引業者の外務員として登録を受け、外務行為を行うことができる。
重要度B

□□□ 22 外務員は、その所属する金融商品取引業者に代わり、有価証券の売買その他の取引等に関し、一切の裁判外の行為を行う権限を有するものとみなされる。
重要度A

□□□ 23 外務員の行為の効果は直接金融商品取引業者等に帰属し、金融商品取引業者等は顧客の有価証券の売買その他の取引等に関し、外務員の負った債務について直接履行する責任を負う。
重要度A

取引態様の事前明示義務

□□□ 24 金融商品取引業者等は、顧客から有価証券の売買に関する注文を受けたときは、あらかじめ当該顧客に対し、自己がその相手方となって売買を成立させるのか、又は媒介し、取次ぎし、もしくは代理して当該売買もしくは取引を成立させるのかの別を明らかにしなければならない。
重要度A

最良執行義務

□□□ 25 金融商品取引業者等が顧客から注文を受けようとする場合には、あらかじめ当該顧客に対して最良執行方針等を記載した書面を交付しなければならない。
重要度A

損失補塡等の禁止

□□□ 26 金融商品取引業者等は、有価証券の売買その他の取引等について、顧客に損失が生ずることとなり又はあらかじめ定めた利益が生じないこととなった場合にはこれを補塡し、又は補足するため財産上の利益を提供する旨を、当該顧客等に対し、申し込み、又は約束する行為を行ってはならない。
重要度A

㉑ × 外務員は、同時に複数の金融商品取引業者の外務員として登録を受け、外務行為を行うことはできない。

㉒ ○ 外務員には、金融商品取引業者から代理権が与えられている。

㉓ ○

㉔ ○ 取引態様の事前明示義務と呼ばれているものである。

㉕ ○ 最良執行義務と呼ばれているものである。

㉖ ○ 申し込みや約束をする行為だけでも、禁止行為に当たる。

□□□ 27 有価証券の売買その他の取引等について生じた顧客の損失を補塡することを顧客と約束することは、実際にその補塡を実行しなければ、禁止行為には当たらない。
重要度A

□□□ 28 有価証券の売買その他の取引等について生じた顧客の損失を、顧客からの要求により金融商品取引業者が補塡したり、顧客との間で補塡の約束をする行為は、禁止されていない。
重要度A

□□□ 29 有価証券の売買その他の取引等について生じた顧客の損失を補塡し、又は利益を追加するため、当該顧客に対し、財産上の利益を提供する行為は、金融商品取引業者が第三者を通じて行った場合も、禁止の対象となる。
重要度A

□□□ 30 有価証券の売買その他の取引等について生じた損失の補塡を要求する顧客の行為は、処罰の対象とならない。
重要度A

禁止・制限

□□□ 31 金融商品取引業者等は、自己の名義をもって他人に金融商品取引業を営ませることができる。
重要度B

□□□ 32 金融商品取引業者は、担保付社債信託契約の受託会社となることができる。
重要度B

□□□ 33 金融商品取引業者等が、引受けに関する自己の取引上の地位を維持し又は有利ならしめるため、著しく不適当と認められる数量、価格その他の条件により有価証券の引受けを行うことは禁止されている。
重要度C

27 × 実際にその補塡を実行しなくても、禁止行為に当たる。

28 × 顧客からの要求に応じる補塡や、補塡の約束をする行為も禁止されている。

29 ○ 第三者を通じて行うことも禁止されている。

30 ○ 金融商品取引業者等に対して損失補塡又は利益を補足するため財産上の利益を提供させる行為を要求して約束させた場合には、処罰の対象となる。つまり、要求しただけでは処罰の対象にならない。

---

31 × 金融商品取引業者等は、自己の名義をもって他人に金融商品取引業を営ませることは禁じられている。

32 × 金融商品取引業者は、担保付社債信託契約の受託会社となることはできない。ただし、引受人となることはできる。

33 ○

□□□ 34 重要度A

有価証券の引受人となった金融商品取引業者は、その有価証券を売却する場合において、引受人となった日から1年を経過する日までは、その買主に対し、買入代金について貸付けその他信用の供与をしてはならない。

□□□ 35 重要度A

金融商品取引業者等又はその役員もしくは使用人が顧客に断定的判断を提供して勧誘することの禁止規定は、当該顧客の有価証券の買付けに係る勧誘についてのみ適用され、当該顧客の有価証券の売付けに係る勧誘については適用されない。

□□□ 36 重要度A

金融商品取引業者等又はその役員もしくは使用人は、有価証券の売買その他の取引等に関し、虚偽の表示をし、又は投資者の投資判断に重大な影響を及ぼすような重要な事項について誤解を生ぜしめるような表示をすることは禁止されているが、この禁止規定は勧誘行為がなくても適用される。

□□□ 37 重要度A

金融商品取引業者等又はその役員もしくは使用人が、特定かつ少数の銘柄について、不特定かつ多数の顧客に対し、買付けもしくは売付け又は委託等を一定の期間継続して一斉にかつ過度に勧誘し、公正な価格形成を損なうおそれがある行為をすることは、その銘柄が現にその金融商品取引業者等が保有している有価証券である場合に限って禁止される。

□□□ 38 重要度B

金融商品取引業者等又はその役員もしくは使用人が、特定の銘柄の有価証券について、実勢を反映しない作為的相場を形成させるべき一連の売買取引の受託を行うことは、主観的な目的の有無を問わず、禁止される。

□□□ 39 重要度A

金融商品取引業者等の役員もしくは使用人が、自己の職務上の地位を利用して、又は専ら投機的利益の追求を目的として売買等をする行為は禁止されている。

34 × 信用の供与が制限される期間は、引受人となった日から1年ではなく、「6カ月」である。

35 × 買付けに係る勧誘及び売付けに係る勧誘の両方について適用される。

36 ○ 虚偽の表示行為等の禁止と呼ばれるものであり、勧誘行為がなくても適用される。

37 × 当該有価証券の保有の有無にかかわらず、公正な価格形成を損なうおそれがある行為をすることは禁止されており、特にその銘柄が現にその金融商品取引業者等が保有している有価証券である場合、大量推奨販売行為は厳しく禁じられている。

38 ○ 作為的相場形成等の禁止と呼ばれるものである。

39 ○ 自己の職務上の地位を利用していなくとも、専ら投機的利益の追求を目的として売買等をする行為は禁止されている点にも注意が必要である。

□□□ 40 金融商品取引業者等は、通常の取引の条件と異なる条件で、かつ、当該条件での取引が権利者の利益を害することとなる条件での取引を行うことを内容とした運用を行ってはならない。

重要度C

□□□ 41 金融商品取引業者は、顧客からの有価証券の買付けの委託を受けて、当該委託等に係る売買等を成立させる前に自己の計算において、当該顧客の委託等に係る価格より低い価格で買付けする行為は禁じられている。

重要度A

□□□ 42 金融商品取引業者は、特定かつ少数の銘柄の有価証券について、不特定かつ多数の顧客に対し、買付け又は売付けを一定期間継続して一斉にかつ過度に勧誘する行為で、公正な価格形成を損なうおそれがあるものを行ってはならない。

重要度A

金融商品仲介業の登録

□□□ 43 金融商品仲介業を営むことは、法人でも個人でも可能である。

重要度A

金融商品仲介業の業務に関する規制

□□□ 44 金融商品仲介業者は、金融商品仲介業に関して、いかなる名目によるかを問わず顧客から金銭もしくは有価証券の預託を受けることはできない。

重要度A

金融商品仲介業者に対する監督その他

□□□ 45 金融商品仲介業者の所属金融商品取引業者等は、原則として、金融商品仲介業者が金融商品仲介業につき顧客に加えた損害の賠償責任は負わない。

重要度A

40 ○

41 ○ フロントランニングの禁止と呼ばれるものである。なお、売付けについては、顧客の委託等に係る価格より高い価格で売付けする行為が禁じられている。

42 ○ 大量推奨販売の禁止と呼ばれるものである。なお、その有価証券が金融商品取引業者等の保有する有価証券である場合には、厳しく禁じられている。

---

43 ○ 法人のみならず個人も金融商品仲介業を営むことができる。

---

44 ○ 金融商品仲介業者は、いかなる名目によるかを問わず、金融商品仲介業に関して、顧客から金銭もしくは有価証券の預託を受け、又は当該金融商品仲介業者と密接な関係を有する者として政令で定める者に顧客の金銭もしくは有価証券を預託させてはならない。

---

45 × 金融商品仲介業者の所属金融商品取引業者等は、原則として、金融商品仲介業者が金融商品仲介業につき顧客に加えた損害の賠償責任を負う。

証券金融会社の業務

□□□ 46 重要度C

証券金融会社が行う一般貸付けは、金融商品取引業者又はその顧客に対し、有価証券又は金銭を担保として金銭又は有価証券を貸し付けることである。

仮装売買、馴合売買

□□□ 47 重要度C

いわゆる仮装売買とは、上場有価証券等の売買、市場デリバティブ取引や店頭デリバティブ取引について、取引状況に関し他人に誤解を生じさせる目的をもって、権利の移転、金銭の授受等を目的としない仮装の取引をすることをいう。

□□□ 48 重要度A

いわゆる馴合売買とは、上場有価証券等について、取引状況に関し他人に誤解を生じさせる目的をもって、権利の移転、金銭の授受等を目的としない売買取引のことである。

内部者取引規制

□□□ 49 重要度A

「内部者取引規制」に関して、規制の対象となる会社関係者の範囲には、その上場会社の顧問弁護士も含まれる。

□□□ 50 重要度A

内部者取引規制の会社関係者に、上場会社等の帳簿閲覧権を有する株主は含まれる。

46 ○ なお、証券金融会社とは、金融商品取引法に基づき、内閣総理大臣の免許を受けた、資本金1億円以上の証券金融専門の株式会社であり、主要業務には、信用取引の決済に必要な金銭や有価証券を金融商品取引業者に貸し付ける業務がある。

47 ○

48 × 記述は、「仮装売買」の説明である。馴合売買とは、取引状況に関し他人に誤解を生じさせる目的をもって、売主と買主が通謀して行う売買取引のことである。

49 ○ 規制対象となる会社関係者は、上場会社等の役員、代理人、使用人その他の従業者(役員等)、帳簿閲覧権を持つ株主や社員、取引銀行、引受金融商品取引業者、顧問弁護士等であり、現在は上記の会社関係者ではないが、以前会社関係者であり、会社関係者でなくなってから1年以内の者も含まれる。

50 ○ 上記49を参照のこと。

□□□ 51 「内部者取引規制」に関して、会社関係者が上場会社等の業務等に関する重要事実を公表される前にその立場を利用して知った場合には、会社関係者でなくなった後１年間は、その間に当該重要事実が公表された後でも、当該会社の発行する上場株券等の売買をしてはならない。
重要度B

□□□ 52 「内部者取引規制」に関して、上場会社の業務執行を決定する機関が、一旦は重要事実に当たる新株式の発行を決定し、公表したが、その後当該新株式の発行を中止する決定をした場合には、その中止の決定は重要事実には当たらない。
重要度B

□□□ 53 「内部者取引規制」に関して、資本金の額の減少は、上場会社等の業務に関する重要事実に該当する。
重要度A

□□□ 54 「内部者取引規制」に関して、上場会社の子会社の業務執行を決定する機関が、他社に当該子会社の営業の一部を譲渡することを決定したことは、当該上場会社の業務等に関する重要事実に当たる（いわゆる軽微基準は考慮しない）。
重要度C

□□□ 55 「内部者取引規制」に関して、上場会社等の業務等に関する重要事実は、当該会社の代表取締役又はその者から当該重要事実を公開することを委任された者により、当該重要事実が日刊紙を販売する新聞社又は放送機関等の２以上の報道機関に対して公開され、かつ、公開されたときから６時間以上経過すれば公表となる。
重要度A

□□□ 56 「内部者取引規制」に関して、重要事実の公表とみなされる事実の１つには上場会社が提出した有価証券報告書が金融商品取引法の規定にしたがい公衆の縦覧に供された場合が含まれる。
重要度A

51 × 当該事実が公表されればその限りではない。

52 × 公表後に当該新株式の発行を中止する決定をした場合、その中止の決定は重要事実に当たる。

53 ○ 資本金の額の減少、資本準備金、利益準備金の額の減少などは、重要事実に該当する。

54 ○ 子会社に生じた重要事実も「内部者取引規制」の対象となる。

55 × 公表されたとみなされるのは、公開後6時間以上経過した場合ではなく、「12時間以上」経過した場合である。

56 ○ 重要事実の公表とみなされる事実には有価証券報告書が公衆の縦覧に供された場合も含まれる。

会社の役員及び主要株主の報告義務

□□□ 57 上場会社等の株主のうち所有する株式数が上位10人までの者は、自己の計算において特定有価証券等の取引等を行った場合、一定の場合を除いて、取引等に関する報告書を内閣総理大臣に提出しなければならない。

重要度A

□□□ 58 上場会社の役員は、自己の計算において当該上場会社の株式の買入れ又は売付けを行い、利益が出た場合に限り、その売買に関する報告書を内閣総理大臣に提出する義務がある。

重要度A

役員又は主要株主の短期売買規制

□□□ 59 上場会社等の役員又は主要株主が、当該会社等の特定有価証券等について、自己の計算で買付け等をした後1年以内に売付け等をして利益を得たときは、当該会社等は、その者に対して、得た利益の提供を請求することができる。

重要度A

企業内容等開示制度

□□□ 60 「企業内容等開示(ディスクロージャー)制度」に関して、国債証券、地方債証券、金融債、政府保証債は、企業内容等開示制度が適用される有価証券である。

重要度C

□□□ 61 「企業内容等開示(ディスクロージャー)制度」が適用される有価証券には、投資信託の受益証券が含まれる。

重要度A

目論見書

□□□ 62 「企業内容等開示(ディスクロージャー)制度」に関して、目論見書は、有価証券の募集もしくは売出し又は適格機関投資家取得有価証券一般勧誘の際、当該有価証券の発行者の事業その他の事項に関する説明を記載する文書である。

重要度C

57 × 所有する株式数が上位10人までの者ではなく、「総株主等の議決権の10%以上を有する株主」である。

58 × 利益の有無にかかわらず、報告書を提出しなければならない。

59 × この「短期売買規制」の対象となるのは、1年以内ではなく、「6カ月以内」に反対売買をして利益を得た場合である。

60 × 国債証券、地方債証券、金融債、政府保証債は、企業内容等開示制度が適用されない有価証券である。

61 ○ 募集又は売出しが行われる有価証券（ただし、国債・地方債・政府保証債・金融債等は対象外）、資産流動化に係る有価証券並びに投資信託の受益証券及び投資法人の発行する投資証券が対象となる。

62 ○ なお、目論見書を作成するのは、有価証券の発行者である。

□□□ 63 「企業内容等開示（ディスクロージャー）制度」に関して、その有価証券に関して既に開示が行われている場合における当該有価証券の売出しについては、発行者、発行者の関係者及び引受人以外の者が行う場合は、目論見書の交付が免除される。

重要度C

流通開示の適用対象会社

□□□ 64 有価証券報告書とは、有価証券の募集又は売出しのために使用される勧誘文書である。

重要度C

□□□ 65 「企業内容等開示（ディスクロージャー）制度」に関して、株式の所有者が500人以上のとき、その発行者は、当該株式の所有者が500人以上となった年度を含めて５年間、継続開示義務が課される。

重要度A

臨時報告書

□□□ 66 「企業内容等開示（ディスクロージャー）制度」に関して、企業内容に関し財政状態及び経営成績に著しい影響を与える事象が発生したときは、発行会社は訂正報告書を提出しなければならない。

重要度A

公衆縦覧

□□□ 67 「企業内容等開示（ディスクロージャー）制度」に関して、有価証券届出書や有価証券報告書は、一定の場所に備え置かれ、社会一般の人々が閲覧できることとなっている。

重要度C

□□□ 68 「企業内容等開示（ディスクロージャー）制度」に関して、自己株券買付状況報告書は、一定の場所に備え置かれ、定められた期間、公衆の縦覧に供されることになっている。

重要度A

63 ○

---

64 × 有価証券報告書は日々行われる適時開示を１年に１回集約して保存する年鑑・年報的な文書である。

65 × 継続開示義務が課されるのは、株式の所有者が500人以上のときではなく、「300人以上」のときである。

---

66 × 企業内容に関し財政状態及び経営成績に著しい影響を与える事象が発生したときに提出しなければならないのは、訂正報告書ではなく、「臨時報告書」である。

---

67 ○

68 ○ なお、受理した日から1年を経過する日まで縦覧に供される。

金融商品取引法監査制度の意義

□□□ 69 「企業内容等開示(ディスクロージャー)制度」に関して、有価証券報告書において記載される財務諸表は、その発行会社の監査役の監査を受けていれば、公認会計士又は監査法人の監査証明を受けなくてもよい。

重要度A

対象有価証券

□□□ 70 「株券等の大量保有の状況に関する開示制度(いわゆる5%ルール)」に関して、報告対象となる株券等の範囲には、新株予約権付社債券は含まれない。

重要度A

株券等保有割合

□□□ 71 「株券等の大量保有の状況に関する開示制度(いわゆる5%ルール)」に関して、株券等の保有状況を計算するための「株券等保有割合」は、発行済株式総数等を保有株券等の総数で除して求められる。

重要度A

大量保有報告書

□□□ 72 「株券等の大量保有の状況に関する開示制度(いわゆる5%ルール)」に関して、大量保有報告書の提出期限は、株券等の実質的な保有者がこの開示制度に定める大量保有者に該当することとなった日から起算して10日(日曜日その他政令で定める休日の日数は算入しない)以内とされている。

重要度A

□□□ 73 「株券等の大量保有の状況に関する開示制度(いわゆる5%ルール)」に関して、報告義務者は、大量保有報告書を内閣総理大臣にEDINETを通じて提出した場合には、発行会社に大量保有報告書の写しを送付する必要はない。

重要度A

69 × 有価証券報告書において記載される財務諸表は、その発行会社の監査役の監査を受けていても、公認会計士又は監査法人の監査証明を受けなければならない。

70 × 報告対象となる株券等の範囲には、新株予約権付社債券も含まれる。

71 ×「株券等保有割合」は、保有者の保有する株券等の数に共同保有者の保有する株券等の数を加え、発行済株式総数等で除して求められる。

72 × 提出期限は10日以内ではなく、「5日以内」である。

73 ○ EDINET（電子開示システム）を通じて提出された場合には、その写しの発行会社への送付義務が免除される。

□□□ 74 「株券等の大量保有の状況に関する開示制度(いわゆる5%ルール)」に関して、提出された大量保有報告書は、10年間公衆の縦覧に供される。

重要度A

74 × 提出された大量保有報告書は、5年間公衆の縦覧に供される。

CHAPTER 11

金融商品の勧誘・販売に関係する法律

CONTENTS

- 金融サービスの提供及び利用環境の整備等に関する法律
- 消費者契約法
- 個人情報の保護に関する法律
- 犯罪による収益の移転防止に関する法律

※本CHAPTERの掲載内容は、本書のシリーズ書籍『証券外務員一種』CHAPTER11と共通です。

学習のポイント

外務員が金融商品を顧客に勧誘・販売するに当たり、外務員が遵守し、考慮しなければならない法律は、金融商品取引法以外にも、金融サービスの提供及び利用環境の整備等に関する法律、消費者契約法、個人情報の保護に関する法律、犯罪による収益の移転防止に関する法律が密接にかかわっています。2015（平成27）年4月1日より金融商品の勧誘・販売に関係する法律が独立した科目として出題されております。

○×問題

次の文章のうち、正しいものには○を、
正しくないものには×をつけなさい。

金融サービス提供法による説明義務

□□□ 1 重要度A

金融サービスの提供及び利用環境の整備等に関する法律において、金融商品販売等を業として行おうとするときは、金融商品が販売されるまでの間に、原則として顧客に重要事項の説明をしなければならない。

□□□ 2 重要度B

金融サービスの提供及び利用環境の整備等に関する法律における重要事項の説明義務は、金融商品の販売等に関する専門的知識及び経験を有する者として政令で定める特定顧客に対しては適用されない。

□□□ 3 重要度C

金融サービスの提供及び利用環境の整備等に関する法律における重要事項について説明を要しない旨の顧客の意思の表明があった場合には、重要事項の説明義務は免除される。

□□□ 4 重要度A

金融サービスの提供及び利用環境の整備等に関する法律において、金融商品販売業者等が、重要事項の説明を行う場合は、口頭によるものでなくてはならない。

金融サービス提供法による説明義務違反の無過失化

□□□ 5 重要度A

金融サービスの提供及び利用環境の整備等に関する法律が規定する金融商品販売業者が行った重要事項の説明義務違反については、故意又は過失の有無を問わない。

解答・解説

1 ○ 顧客から説明を要しない旨の意思表明（商品関連市場デリバティブ取引及びその取次ぎの場合を除く）がない限り、重要事項の説明をしなければならない。

2 ○ ここでいう「特定顧客」とは、金融商品取引法上の「特定投資家」と基本的に同じである。

3 ○ 商品関連市場デリバティブ取引及びその取次ぎの場合を除き、重要事項について説明を要しない旨の顧客の意思の表明があった場合には、重要事項の説明義務は免除される。なお、この場合でも金融商品取引法上の説明義務は免除されない。

4 × 書面による方法も認められている。ただし当該顧客に理解されるために必要な方法及び程度によるものでなければならない。

5 ○ 説明義務違反の無過失化と呼ばれるものである。

消費者契約法による取消しの対象となる契約

□□□ 6 重要度A

消費者契約法は、契約の直接の相手方だけではなく、契約の相手方から媒介の委託を受けた者による勧誘などの行為についても適用対象となる。

□□□ 7 重要度A

消費者契約法により、事業者が消費者契約の締結について勧誘をする際に、重要事項について事実と異なる告知を事業者がしたことにより、その内容を消費者が事実と誤認した場合は、消費者は契約を取り消すことができる。

□□□ 8 重要度A

消費者契約法により、事業者に対し、消費者がその住居又はその業務を行っている場所から退去すべき旨の意思を示したにもかかわらず、事業者がそれらの場所から退去しないことによって消費者が困惑した場合は、消費者は契約を取り消すことができる。

□□□ 9 重要度A

消費者契約法により、事業者が消費者契約の締結について勧誘をする際に、将来において消費者が受けとるべき金額その他の不確実な事項につき断定的判断を提供することにより、消費者がその内容を事実と誤認した場合、消費者は契約を取り消すことができる。

消費者契約法における取消権の行使の方法・行使期間

□□□ 10 重要度B

消費者契約法に基づく取消権を消費者が行使した場合、当初にさかのぼって契約は無効であったこととなる。

個人情報保護法における利用目的の特定

□□□ 11 重要度A

個人情報の保護に関する法律における個人情報取扱事業者は、個人情報を取り扱うに当たっては、その利用目的をできる限り特定しなければならない。

6 ○

7 ○ 消費者契約法による取消対象となる契約には、①重要事項の事実不告知、②断定的判断の提供、③不利益事実の故意又は重過失による不告知、④不退去、⑤退去妨害、⑥過量取引などがある。

8 ○ 上記7④不退去に該当する。

9 ○ 上記7②断定的判断の提供に該当する。

10 ○

11 ○ 抽象的な記載ではなく、提供する金融商品・サービスを明示したうえで利用目的を特定することが望ましいとされている。

□□□ 12 重要度A

個人情報の保護に関する法律における個人情報取扱事業者は、法令等に基づく場合や人の生命、身体又は財産の保護のために必要である場合には、特定された利用目的の達成に必要な範囲を超えて個人情報を取り扱ってもよい。

個人情報保護法における法人情報・公開情報その他

□□□ 13 重要度A

法人の情報は個人情報の保護に関する法律及び個人情報保護ガイドラインにおいて対象とされていないため、法人の代表者個人や取引担当者個人を識別することができる情報は、個人情報に該当しない。

個人情報保護法における個人情報に関する義務

□□□ 14 重要度A

個人情報の保護に関する法律における個人情報とは、生存する個人の情報で、氏名・生年月日その他の記述等により特定の個人を識別することができるもの又は個人識別符号が含まれるもののことである。

個人情報保護法における個人データに関する義務

□□□ 15 重要度C

個人データとは、個人情報を含む情報の集合物であって、コンピューターを用いたり一定の規則にしたがって整理することにより、特定の個人情報を容易に検索できるように体系的に構成したもののことである。

□□□ 16 重要度A

個人情報取扱事業者は、その取り扱う個人データの漏洩、滅失又は棄損の防止、その他の個人データの安全管理のために必要かつ適切な措置を講じなければならない。

12 ○

13 × 個人情報に該当する。

14 ○ なお、個人識別符号とは、情報単体から特定の個人を識別できる文字、番号、記号その他の符号をいう。

15 × 個人データベース等を構成する個人情報のことである。

16 ○

犯罪収益移転防止法における疑わしい取引の届出義務

□□□ 17 重要度A

犯罪による収益の移転防止に関する法律において、金融商品取引業者は、顧客から受け取った財産が犯罪による収益である疑いがある場合は、速やかに行政庁に対して疑わしい取引の届出を行わなくてはならない。

犯罪収益移転防止法における取引時確認義務

□□□ 18 重要度A

犯罪による収益の移転防止に関する法律において、取引時確認を行う際の本人確認書類のうち、有効期限のないものについては、金融商品取引業者が提示または送付を受ける日の前1年以内に作成されたもののみ認められる。

□□□ 19 重要度C

犯罪による収益の移転防止に関する法律において、協会員は、本人確認事項の提示又は送付を受ける等により、自然人については本人特定事項、取引を行う目的、職業を確認しなければならない。

□□□ 20 重要度A

犯罪による収益の移転防止に関する法律において、代理人が取引を行う場合、金融商品取引業者は、本人についてのみ取引時確認を行えばよいとされている。

犯罪収益移転防止法における確認記録の作成・保存義務

□□□ 21 重要度A

犯罪による収益の移転防止に関する法律において、取引時確認を行った場合には、直ちに確認記録を作成しなければならない。

□□□ 22 重要度C

犯罪による収益の移転防止に関する法律において、取引時確認を行った場合には、直ちに確認記録を作成し、当該契約の取引終了日及び取引時確認済み取引に係る取引終了日のうち、後に到来する日から5年間保存しなければならない。

⑰ ○

⑱ × 1年以内ではなく、「6カ月以内」に作成されたもののみ認められる。

⑲ ○ なお、本人特定事項とは、自然人については、氏名、住居及び生年月日、法人については、名称及び本店又は主たる事務所の所在地をいう。

⑳ × 本人に加えて代理人についても取引時確認が必要である。

㉑ ○

㉒ × 保存しなければならない期間は、5年間ではなく、「7年間」である。

CHAPTER 12

協会定款・諸規則

CONTENTS

- 日本証券業協会の概要
- 上場株券等の取引所金融商品市場外での売買等に関する規則
- 店頭有価証券に関する規則
- 外国証券の取引に関する規則
- 有価証券の寄託の受入れ等に関する規則
- 照合通知書及び契約締結時交付書面
- 協会員の従業員に関する規則
- 協会員の投資勧誘、顧客管理等に関する規則
- 外務員の資格・登録等に関する規則
- 個人情報の保護に関する指針

※本CHAPTERの掲載内容は、本書のシリーズ書籍『証券外務員一種』CHAPTER12と共通です。

学習のポイント

協会員が遵守すべきルールであることから、金融商品取引法と並んで出題頻度及びウェイトは極めて高いといえます。特に、業務に深く関わる「有価証券の寄託の受入れ等に関する規則」、「照合通知書及び契約締結時交付書面」、「協会員の従業員に関する規則」、「協会員の投資勧誘、顧客管理等に関する規則」、「外務員の資格・登録等に関する規則」、「個人情報の保護に関する指針」に関する内容がよく出題されています。

○×問題

次の文章のうち、正しいものには○を、正しくないものには×をつけなさい。

業務遂行の基本姿勢

□□□ 1 重要度A

協会員は、顧客の投資経験、投資目的、資力等を十分に把握し、顧客の意向と実情に適合した投資勧誘を行うよう努めなければならない。

□□□ 2 重要度A

会員は、相手方が反社会的勢力であることを知りながら、当該相手方との間で有価証券の売買その他の取引等を行ってはならない。

□□□ 3 重要度A

協会員は、新たな有価証券等の販売を行うに当たっては、当該有価証券等に適合する顧客が想定できないものは販売してはならず、また、有価証券の売買その他の取引等に関し、重要な事項について、顧客に十分な説明を行い、理解を得るよう努めなければならない。

自己責任原則の徹底

□□□ 4 重要度A

協会員は、顧客に対し、証券投資は投資者自身の判断と責任において行うべきものであることを理解させる必要がある。

顧客カードの整備等

□□□ 5 重要度C

協会員は、有価証券の売買その他の取引等を行う顧客について、所定の事項を記載した「顧客カード」を備え付けるものとされている。

□□□ 6 重要度A

協会員は、有価証券の売買その他の取引等を行う顧客について「顧客カード」を備え付ける必要があるが、その記載すべき事項に本籍及び家族構成が含まれる。

解答・解説

1 ○ 「適合性の原則」と呼ばれるものである。

2 ○

3 ○

4 ○ 「自己責任原則の徹底」と呼ばれるものである。

5 ○ 顧客カードの記載事項は、氏名又は名称、住所又は所在地及び連絡先、生年月日(自然人の場合)、職業、投資目的、資産の状況、投資経験の有無、取引の種類、その他各協会員において必要と認める事項である。

6 × 協会員は、有価証券の売買その他の取引等を行う顧客について「顧客カード」を備え付ける必要があるが、その記載すべき事項に本籍及び家族構成は含まれない。

□□□ 7 「顧客カード」の記載事項には、投資目的は含まれない。
重要度A

□□□ 8 「顧客カード」の記載事項には、資産の状況は含まれる。
重要度A

□□□ 9 「顧客カード」の記載事項には、投資経験の有無が含まれる。
重要度A

□□□ 10 「顧客カード」の記載事項には、本籍は含まれる。
重要度A

□□□ 11 協会員は、有価証券の売買その他の取引等を行う顧客について「顧客カード」を備え付ける必要があるが、顧客の投資目的については、口頭で確認すればよいことから、「顧客カード」に記載すべき事項には含まれない。
重要度C

名義貸しの禁止

□□□ 12 協会員は、顧客が株券の名義書換を請求するに際し、自社の名義を貸与することができる。
重要度B

取引の安全性の確保

□□□ 13 協会員は、新規顧客、大口取引顧客等からの注文の受託に際しては、あらかじめ当該顧客から買付代金又は売付有価証券の全部又は一部の預託を受ける等、取引の安全性の確保に努める必要がある。
重要度A

顧客の注文に係る取引の適正な管理

□□□ 14 協会員は、有価証券の売買その他の取引等を行うに当たっては、管理上必要と認められる場合に限り、顧客の注文に係る取引と自己の計算による取引を峻別することができる。
重要度B

7 × 「顧客カード」の記載事項には、投資目的は含まれる。

8 ○ 上記5を参照のこと。

9 ○ 上記5を参照のこと。

10 × 「顧客カード」の記載事項には、本籍は含まれない。

11 × 協会員は、有価証券の売買その他の取引等を行う顧客について「顧客カード」を備え付ける必要があり、顧客の投資目的は、「顧客カード」に記載しなければならない。

---

12 × 協会員は、顧客が株券の名義書換を請求するに際し、自社の名義を貸与してはならない。

---

13 ○ 顧客にとっての安全性の確保ではなく、協会員にとっての取引の安全性の確保である。

---

14 × 協会員は、有価証券の売買その他の取引等を行うに当たっては、顧客の注文に係る取引と自己の計算による取引とを峻別しなければならない。

顧客に対する保証等の便宜の供与

□□□ 15 協会員は、有価証券の売買に関連し、顧客の資金又は有価証券の借入れにつき行う保証、あっせん等の便宜の供与については、一切行ってはならない。

重要度C

寄託の受入れ等の制限

□□□ 16 協会員が顧客から有価証券の寄託を受けることができるのは、「単純な寄託契約」による場合に限定されている。

重要度C

保護預り契約の締結

□□□ 17 協会員が顧客から株券の名義書換え、併合又は分割の手続き等事務の委任のために有価証券の預託を受ける場合には、当該顧客と保護預り契約を締結しなければならない。

重要度C

□□□ 18 協会員は、顧客の保護預り口座を設定したときは、その旨を当該顧客に通知しなければならない。

重要度C

□□□ 19 協会員は、抽せん償還が行われることのある債券について、顧客から混蔵寄託契約により寄託を受ける場合には、あらかじめ、その取扱方法を定めた社内規定について当該顧客の了承を得るものとされている。

重要度C

保護預り契約の適用除外

□□□ 20 協会員は、顧客から累積投資契約に基づく有価証券の寄託を受ける場合には、当該顧客と保護預り契約を締結する必要はない。

重要度C

⑮ × 有価証券の売買に関連し、顧客の資金又は有価証券の借入れにつき行う保証、あっせん等の便宜の供与については、一切禁止されているのではなく、顧客の取引金額その他に照らして過度にならないよう、適正な管理を行わなければならないとされている。

⑯ × 協会員が顧客から有価証券の寄託を受けることができるのは、「単純な寄託契約」「委任契約」「混蔵寄託契約」「質権者としての契約」「消費寄託契約」による場合である。

⑰ × 顧客から株券の名義書換え、併合又は分割の手続き等事務の委任のために有価証券の預託を受ける場合(委任契約による場合)には、当該顧客と保護預り契約を締結する必要はない。

⑱ ○ 顧客に通知する義務がある。

⑲ ○ 顧客の了承を得る必要がある。

⑳ ○ このほか、常任代理人契約に基づく有価証券の寄託を受ける場合も、保護預り契約の適用除外とされている。

保護預り約款

□□□ 21 保護預り約款は、有価証券の保護預りに関し、受託者である協会員と寄託者である顧客との間の権利義務関係を明確にしたものである。
重要度C

□□□ 22 債券又は投資信託の受益証券については、いかなる場合も混蔵保管されることはない。
重要度C

□□□ 23 保護預り有価証券は、すべて証券保管振替機構で混蔵保管される。
重要度C

□□□ 24 協会員は、顧客からの請求により保護預り有価証券を返還する場合、日本証券業協会所定の手続きを経て行う。
重要度C

消費寄託契約

□□□ 25 協会員は、顧客から消費寄託契約により有価証券の寄託を受けるときは、契約書1通を作成しなければならない。
重要度C

照合通知書による報告

□□□ 26 照合通知書の交付は、顧客に対する債権債務の残高に異動がある都度又は顧客から請求がある都度行うこととされている。
重要度A

□□□ 27 協会員は、顧客に対する債権債務について、照合通知書により報告しなければならないこととされているが、その報告回数は、すべての顧客において年1回以上と定められている。
重要度A

□□□ 28 照合通知書に記載すべき事項は、金銭又は有価証券の直近の残高である。
重要度A

21 ○ 保護預り約款における受託者は協会員、寄託者は顧客である。

22 × 顧客から特に申し出のない限り混蔵保管とすることがある。

23 × 原則として、協会員が保管する。

24 × 協会員は、顧客からの請求により保護預り有価証券を返還する場合、各協会員所定の手続きを経て行う。

25 × 契約書を２通作成し、その１通を顧客に交付しなければならない。

26 × 交付は、顧客の区分にしたがって、それぞれに定める頻度で、顧客に対して行うこととされている。

27 × 取引の種類等による顧客の区分にしたがって、それぞれに定める頻度で報告しなければならないとされている。

28 ○ 照合通知書に記載すべき事項は、金銭又は有価証券の直近の残高である。また、その他、取引経過を記載したものを添付することが望ましいとされている。

□□□ 29 協会員は、照合通知書による報告を行う時点で金銭及び有価証券の残高がない顧客で、直前に行った報告以後、1年に満たない期間においてその残高があった顧客には現在残高がない旨の報告を照合通知書により行わなければならない。

重要度A

照合通知書の作成・交付

□□□ 30 照合通知書の作成は、営業部門で行うこととされている。

重要度A

□□□ 31 照合通知書を顧客に交付するときは顧客との直接連絡を確保する趣旨から、顧客に直接交付することを原則としている。

重要度A

□□□ 32 協会員は、顧客から照合通知書の記載内容について照会があったときは、検査、監査又は管理を担当する部門において受け付け、営業部門の担当者を通じて当該顧客に回答することになっている。

重要度A

契約締結時交付書面の送付

□□□ 33 協会員は、契約締結時交付書面を顧客に交付するときは、原則として、当該顧客の住所、事務所の所在地又は当該顧客が指定した場所に郵送することにより行うこととされている。

重要度A

禁止行為

□□□ 34 協会員の従業員は、いかなる名義を用いているかを問わず、自己の計算において信用取引を行ってはならない。

重要度A

□□□ 35 協会員の従業員は自己の計算において商品関連市場デリバティブ取引を行うことは原則として禁止されているが、有価証券関連デリバティブ取引は行うことができる。

重要度A

㉙ ○ 残高がない顧客であっても、照合通知書による報告を行わなければならない場合がある。

㉚ × 営業部門ではなく、「検査、監査又は管理を担当する部門」で行うこととされている。

㉛ × 協会員は、照合通知書を交付するときは、顧客との直接連絡を確保する趣旨から、当該顧客の住所、事務所の所在地又は当該顧客が指定した場所に郵送することが原則である。

㉜ × 協会員は、顧客から照合通知書の記載内容について照会があったときは、検査、監査又は管理を担当する部門において受け付け、当該部門から遅滞なく回答を行わなければならない。

㉝ ○ なお、有価証券の取引が成立したときは、遅滞なく契約締結時交付書面を作成し、顧客に交付しなければならないが、取引が成立しなかった場合には交付を要しない。

㉞ ○ 協会員の従業員は、いかなる名義を用いているかを問わず、自己の計算において信用取引、有価証券関連市場デリバティブ取引等を行うことは禁止されている。

㉟ × 協会員の従業員は、いかなる名義を用いているかを問わず、自己の計算において信用取引、有価証券関連デリバティブ取引、特定店頭デリバティブ取引、商品関連市場デリバティブ取引を行うことは原則として禁止されている。

□□□ 36 重要度C

名義人である顧客の配偶者が、名義人本人の取引に係る注文であることを明示して有価証券の売買を発注した場合でも、すべて仮名取引とみなされる。

□□□ 37 重要度A

協会員の従業員が有価証券の取引について、顧客と損益を共にする場合には、あらかじめ当該顧客の承諾を得なければならない。

□□□ 38 重要度A

協会員の従業員は、顧客から有価証券の売買注文を受けた場合において、当該顧客から書面による承諾を受けた場合に限り、自己がその相手方となって売買を成立させることができる。

□□□ 39 重要度B

協会員の役員は、顧客の有価証券の名義換えについて、自己の名義を使用させることができる。

□□□ 40 重要度B

協会員の従業員は、顧客から有価証券の名義書換えの手続きの依頼を受けた場合には、所属協会員を通じなくても、その手続きを行うことができる。

□□□ 41 重要度C

協会員の従業員は、顧客から有価証券の名義書換え等の手続きの依頼を受けた場合において、所属する協会員を通じないでその手続きを行ってはならないが、顧客の名義書換えについて便宜上自己の名義を使用させることは差し支えない。

□□□ 42 重要度B

協会員の従業員が、所属協会員から顧客に交付するために預託された業務に関する書類を、遅滞なく当該顧客に交付しないことは、禁止行為に該当する。

□□□ 43 重要度A

協会員の従業員は、有価証券の売買その他の取引等に関して顧客と金銭、有価証券の貸借を行うことは禁止されている。

36 × 名義人である顧客の配偶者が、名義人本人の取引に係る注文であることを明示して有価証券の売買を発注した場合は、仮名取引ではない蓋然性が高いといえる。

37 × 協会員の従業員が有価証券の取引について、顧客と損益を共にすることを、約束して勧誘し又は実行してはならない。

38 × 協会員の従業員は、顧客から有価証券の売買注文を受けた場合において、当該顧客から書面による承諾を受けた場合であっても、自己がその相手方となって売買を成立させることはできない。

39 × 協会員の役員は、顧客の有価証券の名義換えについて、自己の名義を使用させてはならない。

40 × 協会員の従業員は、顧客から有価証券の名義書換えの手続きの依頼を受けた場合には、所属協会員を通じないで、その手続きを行うことはできない。

41 × 協会員の従業員は、顧客から有価証券の名義書換え等の手続きの依頼を受けた場合において、所属する協会員を通じないでその手続きを行ってはならず、顧客の名義書換えについて自己の名義を使用させることも行ってはならない。

42 ○ 「顧客に交付すべき書類を交付しないことの禁止」に該当する。

43 ○ 「顧客との金銭、有価証券等の貸借の禁止」に該当する。

□□□ 44 協会員の従業員が、従業員限りで広告等又は景品類の提供を行う場合には、所属営業単位の営業責任者の審査を受けなければならない。
重要度A

□□□ 45 協会員は、顧客から有価証券の売付けの注文を受ける場合において、当該有価証券の売付けが空売りであるか否かの別を確認せずに注文を受けることは一切禁止されている。
重要度A

□□□ 46 協会員は、CFD取引契約(店頭CFD取引契約を除く)の締結につき、その勧誘に先立って、顧客に対し、その勧誘を受ける意思の有無を確認せずに勧誘することは禁止されている。
重要度A

不適切行為

□□□ 47 協会員は、その従業員が有価証券の売買その他の取引等において銘柄、価格、数量、指値又は成行の区別等顧客の注文内容について、確認を行わないまま注文を執行することのないよう指導、監督しなければならない。
重要度A

□□□ 48 協会員は、その従業員が有価証券等の取引の性質又は取引の条件について、顧客を誤認させるような勧誘をすることのないよう指導、監督しなければならないとされる。
重要度A

二種外務員

□□□ 49 二種外務員の資格で行うことができる外務行為の範囲には、証券投資信託の受益証券の募集に係る外務行為は含まれない。
重要度A

□□□ 50 二種外務員は、カバードワラントに係る外務行為を行うことができる。
重要度B

□□□ 51 二種外務員は、所属協会員の一種外務員の同行がある場合に限り、新株予約権証券に係る外務行為を行うことができる。
重要度A

44 × 営業責任者ではなく、「広告審査担当者」の審査を受けなければならない。

45 × 原則として禁止されているが、「有価証券の空売りに関する内閣府令（空売り府令）」に規定する取引は除かれている。

46 ○ なお、CFD取引とは有価証券指数などを参照する証拠金取引であり、差金決済が行われる。

---

47 ○ 不適切行為のうち「注文内容を確認せずに注文を執行すること」に該当する。

48 ○ 不適切行為のうち「誤認させるような勧誘」に該当する。

---

49 × 二種外務員の資格で行うことができる外務行為の範囲には、証券投資信託の受益証券の募集に係る外務行為が含まれる。

50 × 二種外務員は、カバードワラントに係る外務行為はできない。

51 × 二種外務員は、所属協会員の一種外務員の同行がある場合であっても、新株予約権証券に係る外務行為を行うことはできない。

□□□ 52 重要度A
二種外務員は、所属協会員の一種外務員の同行がある場合に限り、有価証券関連デリバティブ取引等に係る外務行為を行うことができる。

□□□ 53 重要度C
二種外務員は、選択権付債券売買取引に係る外務行為を行うことができる。

□□□ 54 重要度B
二種外務員は、所属協会員の一種外務員の同行がある場合には、顧客から信用取引に係る注文を受託することができる。

外務員の登録

□□□ 55 重要度B
有価証券の売買の勧誘のみを行おうとする者は、一種又は二種外務員の資格を取得することで足り、外務員の登録が免除される。

外務員資格更新研修

□□□ 56 重要度B
協会員は、外務員の登録を受けている者については、その登録を受けた日を基準として3年目ごとの日の属する月の初日から1年以内に、協会の資格更新研修を受講させなければならない。

外務員の資質向上のための社内研修の受講

□□□ 57 重要度A
協会員は、登録を受けている外務員について、外務員資格研修とは別に、3年毎に、外務員の資質の向上のための社内研修を受講させなければならない。

店頭有価証券の内訳

□□□ 58 重要度C
店頭有価証券とは、我が国の法人が国内において発行する取引所金融商品市場に上場されていない株券、新株予約権証券及び新株予約権付社債券をいう。

52 × 二種外務員は、所属協会員の一種外務員の同行がある場合でも、有価証券関連デリバティブ取引等に係る外務行為を行うことはできない。

53 × 二種外務員は、選択権付債券売買取引に係る外務行為を行うことはできない。

54 ○ 信用取引は、二種外務員資格では行えない外務行為であるが、一種外務員、信用取引外務員が同行して注文を受託する場合には行うことができる。

---

55 × 有価証券の売買の勧誘のみを行おうとする者でも、外務員の登録が必要である。

---

56 × 外務員の登録を受けている者については、その登録を受けた日を基準として5年目ごとの日の属する月の初日から1年以内に、協会の資格更新研修を受講させなければならない。

---

57 × 3年毎ではなく、「毎年」社内研修を受講させなければならない。

---

58 ○ なお、「株主コミュニティに関する規則」、「株式投資型クラウドファンディング業務に関する規則」、「店頭有価証券等の特定投資家に対する投資勧誘等に関する規則」などによる場合を除き、店頭有価証券については、顧客に対して投資勧誘を行うことはできない。

取引公正性の確保

□□□ 59
重要度A

協会員は、顧客との間で公社債の店頭売買を行うに当たっては、合理的な方法で算出された時価（社内時価）を基準として適正な価格により取引を行い、その取引の公正性を確保しなければならない。

契約の締結及び約款による処理

□□□ 60
重要度A

「外国証券取引口座約款」とは、顧客の注文に基づく外国証券の売買等の執行、売買代金の決済、証券の保管等について規定されたものである。

取引公正性の確保

□□□ 61
重要度B

協会員が顧客との間で外国株券の国内店頭取引を行うに当たっては、本国の外国有価証券市場における当該外国株券の前日の終値により取引を行わなければならない。

□□□ 62
重要度A

協会員が顧客との間で外国債券（国内金融商品取引所に上場されているものを除く）の国内店頭取引を行うに当たっては、合理的な方法で算出された時価（社内時価）を基準とした適正な価格により取引を行わなければならない。

□□□ 63
重要度A

協会員が顧客との間で外国債券の国内店頭取引を行うに当たっては、顧客が求める場合であっても、取引価格の算定方法等について、口頭又は書面等による概要の説明は要しない。

□□□ 64
重要度A

協会員は顧客から、国内で開示が行われていない外国証券の取引の注文を受ける場合には、顧客にこの旨を説明しなければならない。

□□□ 65
重要度C

協会員は、上場CFD取引の勧誘に関して、顧客に対し、その勧誘を受ける意思の有無を確認しなくても、その勧誘をすることができる。

59 ○ なお、公社債の店頭取引を行ったときは、約定時刻等を記載した当該注文に係る伝票等を速やかに作成し、整理、保存する等適切な管理を行わなければならない。

60 ○ 顧客との外国証券の取引は、公開買付の場合を除き、この「外国証券取引口座約款」の条項に従って行うこととされている。

61 × 協会員が顧客との間で外国株券の国内店頭取引を行うに当たっては、「社内時価(合理的な方法で算出された時価)」を基準とした適正価格により取引を行わなければならない。

62 ○ なお、協会員は、顧客の求めがあった場合には、取引価格の算定方法等について、口頭又は書面等により、その概要を説明しなければならない。

63 × 口頭又は書面等による概要の説明は必要である。

64 ○

65 × 原則として、顧客に対し、その勧誘を受ける意思の有無を確認することをしないで勧誘をする行為をしてはならない。

CHAPTER 13

取引所定款・諸規則

CONTENTS

- 有価証券上場規程
- 売買契約の締結
- 清算・決済規程及び受託契約準則

※本CHAPTERの掲載内容は、本書のシリーズ書籍『証券外務員一種』CHAPTER13と共通です。

学習のポイント

株式会社東京証券取引所の定める諸ルールを学習します。特に、「有価証券上場規程」、「売買契約の締結」から多く出題されています。また、「板寄せ」の問題は、オーソドックスな問題といえますので、練習問題を繰り返し解くことで手順をしっかりとマスターしましょう。

○×問題

次の文章のうち、正しいものには○を、
正しくないものには×をつけなさい。

有価証券上場規程

□□□ 1 上場の対象となるのは、金融商品取引法上の有価証券のみである。
重要度C

□□□ 2 上場の対象となる有価証券には、株券や国債証券のほか、転換社債型新株予約権付社債券も含まれる。
重要度B

□□□ 3 上場の対象となる有価証券には、株券や国債証券のほか、小切手や約束手形も含まれる。
重要度A

株券等の新規上場手続

□□□ 4 国債証券の上場に当たっては、発行者からの上場申請は不要とされている。
重要度A

□□□ 5 国債証券の場合と同様、地方債証券についても、発行者からの上場申請がなくても上場できることになっている。
重要度A

株券等の上場審査基準

□□□ 6 取引所に既に上場されている株券の発行者が新たに発行する同一種類の株券については、原則として上場を承認するものとされている。
重要度C

解答・解説

1 ○ 上場の対象となる有価証券は、金融商品取引法上の有価証券に限られ、具体的には、株券、国債証券、地方債証券、社債券、転換社債型新株予約権付社債券などである。したがって、小切手や約束手形は含まれない。なお、複数の金融商品取引所に重複して上場することも可能である。

2 ○ 上記1を参照のこと。

3 × 上場の対象となる有価証券には、小切手や約束手形は含まれない。

---

4 ○ なお、国債証券の場合を除いて、発行者からの上場申請が必要である。

5 × 国債証券と違い、地方債証券については発行者からの上場申請が必要である。

---

6 ○

上場基準

□□□ 7 重要度A

取引所が定める東証スタンダード市場における上場基準には、流通株式数が含まれている。

□□□ 8 重要度A

東証プライム市場における上場基準の項目の1つに、東証スタンダード市場に上場していることがあるため、東証スタンダード市場における上場銘柄でなければ東証プライム市場に上場されることはない。

上場廃止基準

□□□ 9 重要度B

株券の上場廃止基準の1つには、発行会社の純資産の額がある。

□□□ 10 重要度C

上場株券の上場廃止が決定された場合には、例外なく、ただちに上場が廃止され、当該株券の売買は行われなくなる。

□□□ 11 重要度C

上場株券の上場廃止が決定された場合には、一定期間、整理銘柄に指定し、当該株券の売買を行わせることができる。

優先株

□□□ 12 重要度B

優先株(非参加型優先株)の上場審査基準として、当該上場申請銘柄の発行会社が、その金融商品取引所の上場会社であることは含まれていない。

□□□ 13 重要度B

上場している普通株について、上場廃止基準に該当することとなった場合、その発行者が発行する優先株についても同様に上場が廃止される。

7 ○ 株主数、流通株式数、流通株式時価総額及び純資産の額などについて、一定の基準がある。

8 × そのような基準はない。プライム市場上場基準を満たしていれば、スタンダード市場上場銘柄である必要はない。

9 ○ 株券の上場廃止基準には、株主数、流通株式、売買高、時価総額、純資産の額、銀行取引の停止、破産手続、再生手続又は更生手続、事業活動の停止などがある。

10 × 取引所は、上場株券の上場廃止が決定された場合には、一定期間、整理銘柄に指定し、その株券の売買を行わせることができる。

11 ○ 上記10を参照のこと。

12 × 優先株(非参加型優先株)の上場審査基準には、その発行会社が上場会社であることが含まれている。

13 ○ なお、上場廃止基準については上記9を参照のこと。

債券の上場

□□□ 14 重要度A
国債証券及び地方債証券については、発行者からの上場申請がなくても上場できることになっている。

□□□ 15 重要度B
外国国債証券の上場に当たっては、外国国債証券の発行者からの上場申請は不要とされている。

転換社債型新株予約権付社債券の上場

□□□ 16 重要度A
転換社債型新株予約権付社債券の上場審査は、発行者に対する基準と上場申請銘柄に対する基準からなる。

□□□ 17 重要度A
転換社債型新株予約権付社債券については、国債証券と同様、発行者からの上場申請がなくても上場できることになっている。

□□□ 18 重要度A
新株予約権付社債券の上場に際して、その発行会社の発行する株券が上場されていれば、当該新株予約権付社債券の上場審査を行わずに上場を決定することになっている。

□□□ 19 重要度C
上場株券が上場廃止となった場合には、当該株券の発行会社が発行する上場新株予約権付社債券も全銘柄が上場廃止される。

□□□ 20 重要度C
上場新株予約権付社債券の上場が廃止されるのは、当該上場新株予約権付社債券が上場額面総額等について定められた上場廃止基準のすべてに該当する場合とされている。

ETFの上場

□□□ 21 重要度C
内国ETFの上場については、投資信託委託会社からの上場申請があったものについて上場審査基準に基づき審査を行い、上場を決定している。

⑭ × 国債証券については、発行者からの上場申請がなくても上場できることとしているが、地方債証券は、発行者からの上場申請が必要とされている。

⑮ × 外国国債証券の上場に当たっては、外国国債証券の発行者からの上場申請が必要とされている。

⑯ ○ なお、株券と同様、必ず上場申請が必要となる。

⑰ × 転換社債型新株予約権付社債券については、発行者からの上場申請が必要とされている。

⑱ × 取引所は、新株予約権付社債券の上場について、その発行会社の発行する株券が上場されていても、当該新株予約権付社債券の上場審査を行い、上場を決定することになっている。

⑲ ○

⑳ × 上場新株予約権付社債券の上場が廃止されるのは、当該上場新株予約権付社債券が上場額面総額等について定められた上場廃止基準のいずれか1項目に該当する場合とされている。

㉑ × 内国ETFの上場については、投資信託委託会社及びその受託者である信託会社等からの上場申請があったものについて上場審査基準に基づき審査を行い、上場を決定している。

配当落・権利落等の売買

□□□ 22 取引所における株券の普通取引において、配当金(中間配当を含む)交付株主確定期日又は新株予約権その他の権利確定期日の2営業日前から配当落又は権利落として売買が行われる。
重要度C

売買契約の締結

□□□ 23 取引所の売買立会による売買は、売買注文について、まず価格優先の原則を適用し、これによることができない場合には、時間優先の原則にしたがい、個別競争売買によって行われる。
重要度B

□□□ 24 売呼値においては、高い値段の売呼値が低い値段の売呼値に優先する。
重要度A

□□□ 25 成行による呼値は、指値による呼値に値段的に優先する。
重要度A

□□□ 26 売買立会の始値を定める場合は、板寄せの方法が用いられる。
重要度B

売買(取引)単位

□□□ 27 上場国債証券の通常取引の売買単位は、額面50万円である。
重要度C

ザラ場

□□□ 28 ザラ場とは、売買立会の始値の決定方法のことをいう。
重要度A

22 × 取引所における株券の普通取引においては、配当金(中間配当を含む)交付株主確定期日又は新株予約権その他の権利確定期日の前営業日から配当落又は権利落として売買が行われる。

23 ○

24 × 売呼値においては、低い値段の売呼値が高い値段の売呼値に優先する。

25 ○ 成行による呼値は指値による呼値に値段的に優先する。

26 ○ 売呼値と買呼値の一定数量が一定の値段で合致したとき、その値段を約定値段として優先順位によって売買を成立させる方法を板寄せという。

27 × 上場国債証券の通常取引の売買単位は、額面5万円である。

28 × ザラ場とは板寄せ売買を除いた寄付と引けの間の時間及びその間の売買方法を総称して指す。

呼値の値幅の制限

□□□ 29 取引所市場で行われる転換社債型新株予約権付社債券の売買については、原則として、呼値の値幅の制限はない。
重要度C

□□□ 30 取引所市場で行われる国債証券の売買における呼値の値幅制限は、原則として、前営業日の終値から上下１円である。
重要度A

清算機関制度

□□□ 31 取引所の有価証券の売買の決済は、決済日を同一とする各清算参加者の証券（銘柄ごと）及び代金（銘柄合計）に係る売付数量と買付数量をそれぞれ相互に相殺し、その差引数量及び差引金額を受け渡すことにより行う「グロス決済」を採用している。
重要度C

受託契約準則

□□□ 32 取引所の定める「受託契約準則」は、当該取引所と取引参加者との間における取引所取引に関する契約内容を定めたものであり、取引参加者にはこれを遵守すべき義務があるが、顧客にはこれを遵守すべき義務はない。
重要度C

発行日決済取引

□□□ 33 外国国債証券については、国内の取引所に上場されている銘柄であっても、発行日決済取引の委託保証金の代用有価証券とすることができない。
重要度B

外貨による金銭の授受

□□□ 34 有価証券の売買に係る顧客と取引参加者との間の金銭の授受は、いかなる場合においてもすべて円貨で行うこととされている。
重要度C

㉙ × 取引所市場において行われる転換社債型新株予約権付社債券の売買については、呼値の値幅の制限がある。

㉚ ○

㉛ × 記述は、「ネッティング決済」の説明である。グロス決済とは、取引毎にその都度一件ずつ個別に決済を行う方式のことである。

㉜ × 顧客もこれを遵守すべき義務がある。

㉝ × 外国国債証券で、国内の取引所に上場されている銘柄は、発行日決済取引の委託保証金の代用有価証券とすることができる。

㉞ × 有価証券の売買に係る顧客と取引参加者との間の金銭の授受は、すべて円貨で行うことが前提となっているが、受託取引参加者が同意した場合は、外貨により行うことができる。

5肢選択問題　次の文章のうち、正しいものの番号を1つ選びなさい。

板寄せ

□□□ 35 重要度C

売買立会の始値決定直前の注文控え(板)の状況が下表のとおりであるとき、始値はいくらで決定されるか。

売呼値記載欄	値段	買呼値記載欄
株	円	株
5,000	720	
3,000	719	5,000
2,000	718	6,000
2,000	717	4,000
5,000	716	5,000
3,000	715	3,000
	714	2,000

注)成行売呼値20,000株、成行買呼値16,000株とする。

(1) 715円
(2) 716円
(3) 717円
(4) 718円
(5) 719円

35 (3) 売呼値と買呼値の一定数量が一定の値段で合致したとき、その値段を約定値段として売買を成立させる方法のことを板寄せという。

売呼値記載欄	値段	買呼値記載欄
株	円	株
(ト) 5,000	720	
(ヘ) 3,000	719	(B) 5,000
(ホ) 2,000	718	(C) 6,000
(ニ) 2,000	717	(D) 4,000
(ハ) 5,000	716	(E) 5,000
(ロ) 3,000	715	(F) 3,000
	714	(G) 2,000

注)成行売呼値(イ) 20,000株、成行買呼値(A) 16,000株とする。

① (イ)に(A)を対当させると、(イ)に4,000株残る。

② (イ)の残り4,000株と最も高い買呼値(B) 5,000株を対当させると(B)に1,000株残る。

③ (B)の残り1,000株と最も低い売呼値(ロ) 3,000株を対当させると(ロ)に2,000株残る。

④ (ロ)の残り2,000株と買呼値(C) 6,000株を対当させると(C)に4,000株残る。

⑤ (C)の残り4,000株と売呼値(ハ) 5,000株を対当させると(ハ)に1,000株残る。

⑥ (ハ)の残り1,000株と買呼値(D) 4,000株を対当させると(D)に3,000株残る。

⑦ (D)の残り3,000株と買呼値(ニ) 2,000株を対当させると、(D)に1,000株残るが、それ以上は対当させるものがなく対当できない。その結果、始値は717円となる。

CHAPTER 14

セールス業務

CONTENTS

- 法律・ルールの遵守(コンプライアンス)
- 顧客本位の業務運営に関する原則
- IOSCOの行為規範原則

※本CHAPTERの掲載内容は、本書のシリーズ書籍『証券外務員一種』CHAPTER14と共通です。

学習のポイント

株式や債券など価格変動リスクのある商品の勧誘を行う証券外務員には、法律・ルールを守るのはもちろんのこと、高い倫理観も求められます。日本証券業協会とIOSCO(証券監督署国際機構)は、証券外務員・金融商品取引業者が守るべき基本的事項を示しています。「IOSCOの行為規範原則」につき、重要な語句を正確に覚え、練習問題で必ず確認するようにしましょう。

○×問題

次の文章のうち、正しいものには○を、
正しくないものには×をつけなさい。

外務員の仕事

□□□ 1
重要度B
外務員は、刻々と変化する市場の様々な情報を的確に分析し、その中から投資家に対して有用なアドバイスができるように自己研鑽に励む必要がある。

□□□ 2
重要度C
証券外務員は、金融商品取引業者に対する投資者の信頼に応えられるよう、高い倫理性に立脚して最善を尽くさなければならない。

□□□ 3
重要度A
証券投資を最終的に決定するのはあくまで投資家自身であり、市況の変動が大きい場合を除いて証券外務員が決定することがあってはならない。

□□□ 4
重要度C
証券外務員は、投資家自らに投資の決定をさせるだけではなく、その決定が投資家自身の十分な理解に基づいて行われるようにしなければならない。

□□□ 5
重要度B
証券外務員が投資勧誘を行う有価証券は、十分に調査し、投資を勧めるに価する十分な根拠があると判断したものでなければならない。

□□□ 6
重要度C
証券外務員は、投資家が投資目的や資金量にふさわしくない投資を行おうとしている場合、証券外務員はその投資の決定をしなければならない。

□□□ 7
重要度B
証券外務員は、顧客がその投資目的や資金量にふさわしくない投資を行おうとする場合には、考え直すよう適切にアドバイスする必要がある。

解答・解説

1 ○ 外務員は常に最新かつ多くの情報を集め、投資家それぞれのニーズに最適な価値を有する商品・サービスを提供できるようにしておくことが必要である。

2 ○ 外務員は、その責務の面から、高い職業倫理や法令遵守等の意識が求められる。

3 × 市況変動が大きい場合も含めて、いかなるときも最終決定は投資家自身の判断に基づくべきものである。

4 ○

5 ○

6 × 証券外務員がその投資を決定するのではなく、考え直すよう適切にアドバイスする必要がある。

7 ○ 上記6を参照のこと。

□□□ 8 外務員は、高い倫理観が求められるが、適切な倫理感覚を養うには、第三者の目線を意識することが重要である。
重要度A

外務員の留意事項

□□□ 9 顧客に対し、能動的にコミュニケーションをとって、当該顧客の事情を探ったうえで、顧客の投資ニーズに合うと判断した商品の勧誘を行った。
重要度C

□□□ 10 株式投資信託及び公社債投資信託の予想分配率を示して投資勧誘を行った。
重要度C

□□□ 11 証券外務員は、投資家に対し、将来における株式の価格の騰落について、断定的にアドバイスしなければならない。
重要度C

□□□ 12 顧客にとって最適であると確信してハイ・リターンの商品を勧めたが、当該顧客は確定利付商品を選択したことから、最終的に顧客の意向にしたがった。
重要度C

□□□ 13 顧客と損益を共にすることを約束して投資勧誘を行った。
重要度B

□□□ 14 顧客の注文が相場操縦等不正な取引に該当することがわかったので、当該注文を受注しなかった。
重要度C

顧客本位の業務運営に関する原則

□□□ 15 顧客本位の業務運営に関する原則を採択する場合、顧客本位の業務運営を実現するための明確な方針を策定・公表し、当該方針に係る取組状況を公表する必要がある。
重要度A

□□□ 16 顧客本位の業務運営に関する原則には、顧客にふさわしいサービスの提供がある。
重要度B

8 ○ 自身が判断した行動が、必ずしも第三者からみて正しいことであるとは限らない。

---

9 ○

10 × 顧客に対して、虚偽のない情報を提供し、誤解を生じさせないような公正な資料を提供しなければならない。

11 × 有価証券等の価格の騰落について、断定的判断を提供することは金融商品取引法で禁止されている。

12 ○

13 × 顧客と共同計算の売買をしたり、事前に損失補塡の申込や約束をしたり、また事後に損失補塡を実行したりしてはならない。

14 ○

---

15 ○ 「顧客本位の業務運営に関する原則」には、①顧客本位の業務運営に関する方針の策定・公表等、②顧客の最善の利益の追求、③利益相反の適切な管理などがある。

16 ○

□□□ 17 「顧客本位の業務運営に関する原則」において、顧客本位の業務運営を実現するための方針に含まれる内容として、「重要な情報の分かりやすい提供」がある。
重要度A

□□□ 18 金融事業者は、特に複雑またはリスクの高い金融商品の販売、推奨等を行う場合には、商品や顧客の属性に応じ、当該商品の販売・推奨等が適当かを、より慎重に審査すべきである。
重要度A

□□□ 19 「顧客本位の業務運営に関する原則」では、金融事業者が各々の置かれた状況に応じて、形式ではなく実質において顧客本位の業務運営が実現できるように「プリンシプルベース・アプローチ」が採用されている。
重要度A

IOSCOの行為規範原則

□□□ 20 業者は、その業務に当たっては、顧客の最大の利益及び市場の健全性を図るべく、誠実かつ公正に行動しなければならない。
重要度A

□□□ 21 業者は、その業務に当たっては、顧客の最大の利益及び市場の健全性を図るべく、相当の技術、配慮及び注意をもって行動しなければならない。
重要度A

□□□ 22 業者は、利益相反を回避するため、顧客の資産状況、投資経験及び投資目的を把握するよう努めなければならない。
重要度A

□□□ 23 業者は、顧客との取引に当たっては、当該取引に関する具体的な情報を十分開示しなければならない。
重要度A

□□□ 24 業者は、顧客の最大の利益及び市場の健全性を図るため、その業務に適用される全ての規則を遵守しなければならない。
重要度A

⑰ ○ なお、この他に、「顧客本位の業務運営に関する方針の策定・公表等」「顧客の最善の利益の追求」「利益相反の適切な管理」などがある。

⑱ ○ 原則6「顧客にふさわしいサービスの提供」に関する事項である。

⑲ ○

⑳ ○ IOSCO（証券監督者国際機構）の行為規範の「誠実・公正」に該当する。

㉑ ○ IOSCO（証券監督者国際機構）の行為規範の「注意義務」に該当する。

㉒ × 業者は、サービスの提供に当たっては、顧客の資産状況、投資経験及び投資目的を把握するよう努めなければならない。

㉓ ○ IOSCO（証券監督者国際機構）の行為規範の「顧客に対する情報開示」に該当する。

㉔ ○ IOSCO（証券監督者国際機構）の行為規範の「コンプライアンス」に該当する。

5肢選択問題　次の文章のうち、正しいものの番号を１つ選びなさい。

IOSCOの行為規範原則

□□□ 25 IOSCO（証券監督者国際機構）の行為規範原則の「誠実・公正」及び「注意義務」の原則について正しい組合せはどれか。

重要度A

・業者は、その業務に当たっては、（　イ　）、誠実かつ公正に行動しなければならない。

・業者は、その業務に当たっては、（　ロ　）、相当の技術、配慮及び注意をもって行動しなければならない。

a．利益相反を回避すべく

b．その業務に適用される全ての規則を遵守し

c．顧客の最大の利益及び市場の健全性を図るべく

(1) イ－a　ロ－b

(2) イ－b　ロ－b

(3) イ－b　ロ－c

(4) イ－c　ロ－c

(5) イ－a　ロ－c

解答・解説

㉕（4）　・業者は、その業務に当たっては、（イ：c．顧客の最大の利益及び市場の健全性を図るべく）、誠実かつ公正に行動しなければならない。

・業者は、その業務に当たっては、（ロ：c．顧客の最大の利益及び市場の健全性を図るべく）、相当の技術、配慮及び注意をもって行動しなければならない。

模擬試験

解答・解説編

模擬試験第1回《解答・解説編》

金融商品取引法

問1　○　電子メールも広告に類似する行為に含まれる。

問2　×　「500人以上」ではなく、「300人以上」のとき、継続開示義務が課される。

問3　○　適合性の原則の遵守義務に該当する。

問4　×　広告では、文字のポイント数は指定されていない。

問5　○　未公表の法人関係情報の提供による勧誘の禁止に該当する。

問6　2)、4)

1)　×　契約締結前交付書面に記載すべき事項のすべてが記載されている目論見書を交付している場合、契約締結前交付書面の交付は免除される。

2)　○　流通市場における開示制度の規定に該当する。

3)　×　保有株券等の数を発行済株式総数で除して求められる。

4)　○　断定的判断の提供による勧誘の禁止規定は買付け、売付けの両方について適用される。

5)　×　勧誘行為がなくても適用される。

問7　4)、5)

1)　×　「訂正報告書」ではなく、「臨時報告書」を提出しなければならない。

2)　×　「1年以内」ではなく、「6ヵ月以内」に反対売買をして利益を得た場合、請求することができる。

3)　×　当該重要事実が公表されればその限りではない。

4)　○　投資助言・代理業の内容に含まれる。

5)　○　合併は内部者取引に関する重要事実に該当する。

金融商品の勧誘・販売に関係する法律

問8 ○ 金融サービス提供法における重要事項の説明義務に該当する。

問9 ○ 消費者契約法における契約の取り消し事由に該当する。

問10 ○ 犯罪収益移転防止法の疑わしい取引の届出義務に該当する。

協会定款・諸規則

問11 ○ 協会員は、顧客から累積投資契約に基づく有価証券の寄託を受ける場合、当該顧客と保護預り契約を締結する必要はない。

問12 ○ 協会員の従業員は、いかなる名義を用いているかを問わず、自己の計算において、信用取引、有価証券関連デリバティブ取引等、特定店頭デリバティブ取引等又は商品関連市場デリバティブ取引等の取引を行うことは禁止されている。

問13 ○ 自己責任原則の徹底に該当する。

問14 × 本籍は、顧客カードの記載事項に含まれていない。

問15 4)、5)

1) ○ 店頭デリバティブ取引に類する複雑な仕組債及び複雑な投資信託の勧誘を行う場合、勧誘開始基準に適合した者でなければ勧誘を行うことができない。

2) ○ 有価証券関連デリバティブ取引等の販売に係る契約を締結しようとするときは、あらかじめ、注意喚起文書を交付しなければならない。

3) ○ 店頭有価証券とは、わが国の法人が国内において発行する取引所金融商品市場に上場されていない株券等のことである。

4) × 顧客に通知しなければならない。

5) × 「約定年月日等」ではなく、「約定時刻等」である。

問16 1)、4)

1) ○ 現在残高がなくても、このような場合は現在残高がない旨の報告をしなければならない。

2) × 信用取引については、協会員が取引開始基準を定めなければならない。

3) × 郵送することが原則である。

4) ○ 日本証券業協会は、内閣総理大臣から委任された外務員の登録に関する事務を行っている。

5) × 顧客の区分に従って、それぞれに定める頻度で、顧客に報告を行う。

問17 2)、5)

1) × 検査、監査又は管理を担当する部門が受け付け、当該部門から直接回答する。

2) ○ 5年ごとに外務員の資格更新研修を受講させる必要がある。

3) × 新株予約権証券の外務行為は、二種外務員の資格では行えない。

4) × 制限又は禁止措置が行われている銘柄については、勧誘を自粛するものとされている。また、取引所が有価証券オプション取引に係る建玉に関して注意喚起を行っている銘柄について、顧客から有価証券オプション取引を受託する場合には、当該措置が行われている旨及びその内容を顧客に説明しなければならない。

5) ○ 顧客に交付すべき書類を交付しないことの禁止規定に該当する。

取引所定款・諸規則

問18 ○ 発行者に対する基準と上場申請銘柄に対する基準からなっている。

問19 × 株主数は、東証スタンダード市場への新規上場の形式要件の1つである。

問20 × 小切手や約束手形は含まれない。

問21 × 成行呼値は、指値による呼値に値段的に優先される。

問22 ○ 国債は、発行者(政府)からの上場申請が不要とされている。

株式業務

問23 × 「総額5,000万円以上」ではなく、「総額1億円以上」のポートフォリオである。

問24 ○ この場合、顧客の提示した指値を用いることができる。

問25 × 記述は、「ブック・ビルディング方式」ではなく、「競争入札方式」の説明である。

問26 × 信用取引は、決済日の違いによる売買の種類に含まれていない。

問27 × 上場株式のほか、投資信託受益証券などが取引対象とされる。

問28 1)

$$権利落相場 = \frac{権利付相場}{分割比率}$$

$$権利落相場 = \frac{1{,}200円}{1.1} \fallingdotseq 1{,}090円$$

問29 5）

① 株価純資産倍率（PBR）

純資産＝総資産－総負債

純資産＝450億円－250億円＝200億円

$1株当たり純資産=\frac{純資産}{発行済株式総数}$

$$1株当たり純資産=\frac{200億円}{0.5億株}=400円$$

$株価純資産倍率=\frac{株価}{1株当たり純資産}$

$$株価純資産倍率=\frac{800円}{400円}=2.0倍$$

② 株価収益率（PER）

$1株当たり当期純利益=\frac{当期（純）利益}{発行済株式総数}$

$$1株当たり当期純利益=\frac{20億円}{0.5億株}=40円$$

$株価収益率=\frac{株価}{1株当たり純利益}$

$$株価収益率=\frac{800円}{40円}=20.0倍$$

債券業務

問30 ○ 格付は格付機関の意見を簡単な記号で示し、投資者に発行会社や個々の債券の信用度を伝達するものである。

問31 ○ 期中償還には、定時償還と任意償還がある。

問32 ×　記述は、「ダンベル型」ではなく、「ラダー型」の説明である。

問33 ×　現先取引の対象顧客は、上場会社又はこれに準ずる法人であって、経済的、社会的に信用のある者に限られている。

問34 ×　記述は、「入替売買」ではなく、「現先取引」の説明である。入替売買とは、ある銘柄を売るとともに別の銘柄を買うというように、売りと買いを同時に約定する手法である。

問35 1）

転換社債型新株予約権付社債の利回り計算は、通常の債券の利回り計算と同様である。

$$\text{最終利回り} = \frac{\text{利率} + \dfrac{\text{償還価格} - \text{購入価格}}{\text{残存期間}}}{\text{購入価格}} \times 100$$

$$\text{最終利回り} = \frac{2.5 + \dfrac{100 - 105}{5}}{105} \times 100 \fallingdotseq 1.428\%$$

問36 3）

$$\text{直接利回り} = \frac{\text{利率}}{\text{購入価格}} \times 100$$

$$\text{直接利回り} = \frac{2.0}{102} \times 100 \fallingdotseq 1.960\%$$

問37 3)

転換社債の価格変動要因別のマトリクスは以下のとおりである。

	金利	クレジット・スプレッド	株価	ボラティリティ
価格上昇	低下	縮小	上昇	上昇
価格下落	上昇	拡大	下落	下落

この表は転換社債の価格変動要因として、「金利」と「クレジット・スプレッド」、「株価」、「ボラティリティ」について、別々に整理したもので、それぞれが転換社債の価格にどのように影響するかを表すものである。

投資信託及び投資法人に関する業務

問38 ○ 投資信託約款の主な記載内容には、「委託者における公告の方法」も含まれる。

問39 ○ 委託者指図型投資信託の受託者(受託会社)は、信託会社又は信託業務を営む認可金融機関に限られている。

問40 × 投資信託に元本保証はない。

問41 ○ 公社債投資信託は、株式を一切組み入れることができない投資信託である。

問42 × 同じファンドであっても、販売会社が異なれば、販売手数料が異なる場合がある。

問43 × 投資法人が決算期ごとに投資主に支払う金銭の分配は、利益を超えて行うことができる。

問44 × 記述の期間は、「無分配期間」ではなく、「クローズド期間」である。

問45 4)、5)

1) × MRFは、信託財産留保額が徴収されることはない。

2) × MRFの販売単位は1口（1口1円）である。

3) × MMFの販売単位は1口（1口1円）である。

4) ○ 長期公社債投資信託（追加型）は、販売手数料がかからない。

5) ○ 長期公社債投資信託（追加型）の解約代金の支払日は、4営業日目である。

問46 2)

付随業務

問47 2)、5)

1) × 第一種金融商品取引業者又は投資運用業者は、付随業務を行える。

2) ○ 付随業務として行うことができる。

3) × 貸金業その他金銭の貸付け又は金銭の媒介に係る業務は、「付随業務」ではなく、「届出業務」である。

4) × 記述は、「株式累積投資」ではなく、「株式ミニ投資」の説明である。

5) ○ ドルコスト平均法の説明として正しい記述である。

経済・金融・財政の常識

問48 4)、5)

1) × 有効求人倍率＝有効求人数÷有効求職者数

2) × 「上昇」ではなく、「下落」する。

3) × 「財産所得」ではなく、「可処分所得」で除して求める。

4) ○ 消費者物価指数の算出にあたっては、直接税や社会保険料、土地や住宅等のストック価格は含まれない。

5) ○ プライマリーバランスの説明として正しい記述である。

問49 1)、4)

1) ○ GDPにおける三面等価の原則である。

2) × 記述は、「オープン市場」ではなく、「インターバンク市場」の説明である。

3) × 「公共事業関係費」ではなく、「社会保障関係費」である。

4) ○ 「発券銀行」と「政府の銀行」は、日本銀行の機能である。

5) × 「労働力人口」ではなく、「就業者数」に年間総労働時間を乗じたものである。

株式会社法概論

問50 × 資本金5億円以上又は負債総額200億円以上の株式会社である。

問51 ○ 合資会社は、無限責任社員1名以上と有限責任社員1名以上が存在しなければならない。

問52 ○ 指名委員会等設置会社は、監査役を設置することができない。

問53 ○ 会社の事業の1部門を切り離し別会社として独立させる方法を新設分割という。

問54 × 「5分の1」ではなく、「4分の1」以上の株式を持つときである。

問55 3)、5)

1) × 株式会社は他の形態の会社に組織変更することができる。

2) × 会社法では、株式会社、合名会社、合資会社、合同会社の4種類を規定している。

3) ○ なお、2種類以上の株式が併存する会社を「種類株式発行会社」という。

4) × 単元株式数は「100株以下」ではなく、「1,000株以下」かつ発行済株式総数の200分の1以下とされている。

5) ○ 新株予約権付社債は、原則として、新株予約権と社債を分離して譲渡することはできない。

財務諸表と企業分析

問56 ○ 貸借対照表の説明として正しい記述である。

問57 × 総資本回転率を高めると、総資本(純)利益率は上昇する。

問58 × 固定比率は、「低い方」が望ましい。

問59 × 配当性向が低いということは、「内部留保率が高いこと」を意味する。

問60 ○ 有形固定資産の説明として正しい記述である。

問61 3)

配当金(年額)＝(7.5円＋10円)×2,400,000株＝42,000,000円(42百万円)
当期純利益＝50,000百万円－40,000百万円－8,800百万円＋100百万円
－300百万円－500百万円＝500百万円

$$配当率=\frac{配当金(年額)}{資本金}\times 100$$

$$配当率=\frac{42百万円}{250百万円}\times 100=16.8\%$$

$$配当性向=\frac{配当金(年額)}{当期純利益}\times 100$$

$$配当性向=\frac{42百万円}{500百万円}\times 100=8.4\%$$

証券税制

問62 ×　公社債投資信託の収益分配金は、「配当所得」ではなく、「利子所得」である。

問63 ×　課税時期における最終価額以外で評価される場合もある。

問64 ○　この場合の源泉徴収税率は、20.315%である。

問65 ×　オープン型(追加型)証券投資信託の元本払戻金(特別分配金)については、非課税とされる。

問66 ×　非課税保有額は、NISA口座で保有する商品を売却することで減少し、減少した分は、翌年以降、年間投資枠の範囲内で新たな投資に利用(スイッチング)することが可能である。

問67 3） 2013年1月1日より復興特別所得税が所得税額に対して2.1％追加課税されるため、所得税と復興特別所得税の合計税率が15.315％となり、住民税5％と合わせると税率20.315％となる。この税率によって計算すると、以下のとおりである。

1株当たり取得価額＝買い単価×購入株数＝取得価額合計／購入株数合計

1株当たり取得価額＝(4,700円×2,500株＋3,000円×4,700株＋5,600円×2,800株)／(2,500株＋4,700株＋2,800株)

＝4,153円

売却益＝（売り単価－買い単価）×売り株数

売却益＝(4,300円－4,153円)×10,000株＝1,470,000円

税額＝売却益×税率

税額＝1,470,000円×20.315％≒298,630円(円未満切り捨て)

証券市場の基礎知識

問68 ○ なお、除外基準には、製品カテゴリー、企業活動、問題のある事業行為などがある。

問69 1）、3）

1）○ 株式と債券の発行による資金調達は、直接金融である。

2）× 内閣総理大臣の認定を条件に資金の貸付けを行うことができる。

3）○ 投資者保護基金による補償対象顧客には、適格機関投資家は含まれない。

4）× 不適切な行為である。

5）× 証券取引等監視委員会は、公的規制機関である。

セールス業務

問70 1)

1) ×「利益相反の適切な管理」に関する規定であるが、「金融事業者は、そのための具体的な対応方針をあらかじめ策定すべきである」とされる。

2) ○「顧客の最善の利益の追求」に関する規定として正しい記述である。

3) ○「顧客本位の業務運営に関する方針の策定・公表等」に関する規定として正しい記述である。

4) ○「手数料等の明確化」に関する規定として正しい記述である。

5) ○「重要な情報の分かりやすい提供」に関する規定として正しい記述である。

模擬試験第2回《解答・解説編》

金融商品取引法

問1　○　内部者取引の共犯に該当する。

問2　○　商号等の使用制限に該当する。

問3　×　「1年」ではなく、「6ヵ月」は信用の供与を行ってはならない。

問4　○　企業内容等開示制度の対象となる有価証券に投資信託の受益証券は含まれる。

問5　×　一切の裁判外の行為を行う権限を有するものとみなされる。

問6　2)、3)

1) ×　賠償責任を負う。
2) ○　内部者取引規制における重要事実の公表に該当する。
3) ○　会社の役員及び主要株主の報告義務に該当する。
4) ×　「TDnet」ではなく、「EDINET」を使用して行わなければならない。
5) ×　顧客からの要求により補塡したり、補塡を約束をする行為も禁止されている。

問7　2)、4)

1) ×　特に必要な表示を欠く不作為も含まれる。
2) ○　広告規制に該当する。
3) ×　第三者を通じて行うことも禁止されている。
4) ○　取引態様の事前明示義務に該当する。
5) ×　この規制に該当するのは、「所有する株式数が上位10名までの者」ではなく、「総株主等の議決権の10%以上を有している株主」である。

金融商品の勧誘・販売に関係する法律

問8 ○ 金融サービス提供法の説明義務違反の無過失化に該当する。

問9 ○ 個人情報保護法における利用目的の特定に該当する。

問10 × 「前1年以内」ではなく、「前6ヵ月以内」に作成されたものに限られる。

協会定款・諸規則

問11 ○ 外国証券取引に関する契約の締結規定に該当する。

問12 ○ 一種外務員は、原則として外務員の職務をすべて行うことができる。

問13 ○ 顧客との金銭、有価証券等の貸借の禁止に該当する。

問14 × 「営業を担当する部門」ではなく、「検査、監査又は管理を担当する部門」で作成する。

問15 1)、2)

1) ○ 高齢顧客に対する勧誘による販売規制に該当する。
2) ○ 空売りか否かを確認せずに受注することの禁止規定に該当する。
3) × 顧客となった動機は、記載すべき事項ではない。
4) × 協会員の従業員は、自己の計算において、信用取引を行うことも禁止されている。
5) × 新株予約権証券の売買取引に係る外務行為は、二種外務員の資格では行うことができない。

問16 1)、3)

1) ○ 協会員の従業員に関する規則(不適切行為)に該当する。

2) × 本籍は、「顧客カード」に記載すべき事項ではない。

3) ○ 信用取引及び有価証券関連デリバティブ取引等の禁止に該当する。

4) × 自社の名義を貸与してはならない。

5) × 名義人の配偶者及び二親等内の血族である者が、名義人本人の取引であることを明示して発注した場合には、仮名取引ではない蓋然性が高く、本人名義の取引とみなされる場合がある。

問17 4)、5)

1) × 外務員の登録が必要である。

2) × 顧客と損益を共にする行為は禁止されている。

3) × 常に必ず峻別して管理しなければならない。

4) ○ 外務員登録の要件に該当する。

5) ○ 適合性の原則の説明として正しい記述である。

取引所定款・諸規則

問18 × 複数の金融商品取引所に重複して上場することができる。

問19 × 発行会社の発行する株券が上場されていても、転換社債型新株予約権付社債券の上場審査は必要である。

問20 ○ 銀行取引の停止は、株券の上場廃止基準の1つである。

問21 × 優先株(非参加型優先株)の上場審査基準には、発行会社がその金融商品取引所の上場会社であることが含まれる。

問22 ○ 債券の制限値幅の説明として正しい記述である。

株式業務

問23 × 記述は、「株式ミニ投資」ではなく、「株式累積投資」の説明である。

問24 ○ 当日決済取引のDVP決済の説明として正しい記述である。

問25 ○ 顧客間の交渉に基づいて価格を決定することができる。

問26 × 約定しなかった場合は、契約締結時交付書面の交付は行わない。

問27 × 下記の計算により、120円値上がりしたこととなる。

権利付相場＝権利落相場×分割比率

＝1,300円×1.2＝1,560円

値上がり金額　1,560円－1,440円＝120円

問28 2)

売呼値記載欄	値段	買呼値記載欄
株	円	株
(ト) 5,000	624	
(ヘ) 3,000	623	(B) 4,000
(ホ) 2,000	622	(C) 2,000
(ニ) 3,000	621	(D) 3,000
(ハ) 5,000	620	(E) 4,000
(ロ) 2,000	619	(F) 3,000
	618	(G) 2,000

(注)成行売呼値(イ) 18,000株、成行買呼値(A) 15,000株とする。

① (イ)に(A)を対当させると、(イ)に3,000株残る。

② (イ)の残り3,000株と最も高い買い呼値(B) 4,000株を対当させると(B)に1,000株残る。

③ (B)の残り1,000株と最も低い売り呼値(ロ) 2,000株を対当させると(ロ)に1,000株残る。

④　(ロ)の残り1,000株と(C) 2,000株を対当させると、(C)に1,000株残る。

⑤　(C)の残り1,000株と(ハ) 5,000株を対当させると、(ハ)に4,000株残る。

⑥　(ハ)の残り4,000株と(D) 3,000株を対当させると、(ハ)に1,000株残る。

⑦　(ハ)の残り1,000株と(E) 4,000株を対当させると、(E)に3,000株残るが、これ以上は対当させるものがなく対当できない。その結果、始値は620円となる。

問29　4)

$$\text{ROE} = \frac{\text{当期純利益}}{\text{自己資本(期首・期末平均)}} \times 100$$

$$\text{ROE} = \frac{380\text{百万円}}{(7{,}000\text{百万円} + 7{,}500\text{百万円}) \div 2} \times 100 \fallingdotseq 5.24\%$$

債券業務

問30　×　「日本国内」ではなく、「日本国外」で発行される円貨建の債券である。

問31　○　特例国債(赤字国債)は特例公債法に基づいて発行される。

問32　○　応募者利回りの説明として正しい記述である。

問33　×　金融商品取引業者(証券会社)のみによって組織される。

問34　○　各社債券面の金額が1億円以上の場合には、社債管理者の設置義務が免除される。

問35 5）

$$\text{パリティ価格} = \frac{\text{株価}}{\text{転換価額}} \times 100$$

$$\text{パリティ価格} = \frac{450\text{円}}{500\text{円}} \times 100 = 90\text{円}$$

$$\text{乖離率} = \frac{\text{転換社債の時価} - \text{パリティ価格}}{\text{パリティ価格}} \times 100$$

$$\text{乖離率} = \frac{101\text{円} - 90\text{円}}{90\text{円}} \times 100 \fallingdotseq 12.22\%$$

問36 4）

直前の利払日（6/10）の翌日（6/11）から受渡日（6/17）までの経過日数は**7日**となる。

問37 4）

$$\text{約定代金} = \text{額面} \times \frac{\text{購入単価}}{100\text{円}}$$

$$\text{約定代金} = 1{,}000{,}000\text{円（額面）} \times \frac{103\text{円}}{100\text{円}} = 1{,}030{,}000\text{円}$$

$$\text{委託手数料} = \text{額面} \times \frac{\text{手数料}}{100\text{円}}$$

$$\text{委託手数料（消費税を含まない）} = 1{,}000{,}000\text{円（額面）} \times \frac{0.30\text{円}}{100\text{円}} = 3{,}000\text{円}$$

$$\text{受渡代金} = \text{約定代金} + \text{経過利子} + \text{委託手数料}$$

$$\text{受渡代金} = 1{,}030{,}000\text{円} + 1{,}400\text{円} + 3{,}000\text{円} = 1{,}034{,}400\text{円}$$

投資信託及び投資法人に関する業務

問38 ○ 投資法人(会社型投資信託)は、資産運用以外の行為を営業とすることは認められていない。

問39 × 投資法人であることが明らかな場合でも、その商号中に投資法人という文字を用いなければならない。

問40 ○ 有価証券、不動産、不動産の賃借権、地上権は、投資信託及び投資法人の投資対象となる特定資産に該当する。

問41 × 公社債投資信託は、株式を一切組み入れることができない。

問42 × 有価証券関連デリバティブ取引に係る権利も投資対象とすることができる。

問43 × 損害賠償責任を負う。

問44 × 名義人は「受益者」ではなく、「受託会社」である。

問45 4)

イ) × 成行注文も可能である。
ロ) ○ ETFの取引単位は、ファンドごとに異なる。
ハ) × ETFの信用取引も可能である。
ニ) ○ ETFの換金は、上場株式と同じである。

問46 1)

付随業務

問47 3)、5)

1) ○ 信用取引に付随する金銭の貸付けは、付随業務である。
2) ○ 有価証券に関する顧客の代理は、付随業務である。
3) × 私設取引システム(PTS)運営業務は、金融商品取引業務である。
4) ○ 累積投資契約の締結は、付随業務である。
5) × 元引受業務は、金融商品取引業務である。

経済・金融・財政の常識

問48 4)、5)

1) × 東証株価指数は、先行系列である。
2) × 反対の記述である。
3) × ドルの需要が発生するのは、日本が外国から輸入をする場合や外国債券を購入する場合であり、ドルの供給が発生するのは、外国が日本から輸入をする場合や日本債券を購入する場合である。
4) ○ 名目GDPを実質GDPで除して求めることができる。
5) ○ 新設住宅着工戸数は、景気先行指標として利用されている。

問49 2)、3)

1) × 「国内の金融機関が保有する通貨量」ではなく、「国や金融機関以外の民間部門が保有する通貨量」である。
2) ○ 通貨には、商品の価値の計算単位としての機能がある。
3) ○ CPの法的性格は約束手形である。
4) × 記述は、「公開市場操作」ではなく、「預金準備率操作」の説明である。
5) × 国民負担率とは、「社会保障負担のみの比率」ではなく、「租税負担と社会保障負担の合計の比率」のことである。

株式会社法概論

問50 ○ 会社法における公開会社の説明として正しい記述である。

問51 ×　最低資本金制度は廃止されたため、資本金１円でも株式会社を設立できる。

問52 ×　自己株式の取得は禁止されていない。

問53 ×　記述は、「少数株主権」ではなく、「単独株主権」の説明である。

問54 ×　法人も発起人になることができる。

問55 2)、5)

1) ×　当然には解散しない。

2) ○　指名委員会等設置会社の各委員会の構成についての正しい記述である。

3) ×　株式を併合すると、発行済株式数は減少し、１株当たりの実質的価値は大きくなる。

4) ×　配当の回数に制限はない。

5) ○　分配可能額がない場合の配当は無効で、会社債権者は株主に返還請求できる。

財務諸表と企業分析

問56 ×

$$\text{配当性向(\%)} = \frac{\text{配当金(年額)}}{\text{当期純利益}} \times 100$$

問57 ×　受取配当金は、営業外収益に分類される。

問58 ×　流動比率は、一般に200%以上が望ましい。

問59 ×　総資本回転率が高いほど、資本効率は高い。

問60 × のれん及び特許権は、固定資産（無形固定資産）に分類される。

問61 4)

イ. 限界利益＝売上高－変動費

限界利益＝60,000百万円－36,000百万円＝24,000百万円

$$限界利益率 = \frac{限界利益}{売上高}$$

$$限界利益率 = \frac{24,000百万円}{60,000百万円} = 0.4 \rightarrow 40\%$$

ロ. まず、固定費を求める。「売上高－変動費－固定費＝利益」であるため「60,000百万円－36,000百万円－固定費＝6,000百万円」。したがって、固定費は18,000百万円である。

$$損益分岐点 = \frac{固定費}{限界利益率}$$

$$損益分岐点 = \frac{18,000百万円}{0.4} = 45,000百万円$$

ハ.

$$損益分岐点比率 = \frac{損益分岐点}{売上高} \times 100$$

$$損益分岐点比率 = \frac{45,000百万円}{60,000百万円} \times 100 = 75.0\%$$

証券税制

問62 ○ 株式投資信託の収益分配金は、配当所得に区分される。

問63 ○ 株式投資信託の譲渡損失と上場株式の譲渡益は、損益通算することができる。

問64 ○　2024年中においては、所得税額の2.1％が復興特別所得税として追加的に課税される。

問65 ×　所得税の確定申告における所得金額の計算上、収入金額は、所得税等を控除する前の金額である。

問66 ×　事業的な規模で行う継続的取引の場合は、「譲渡所得」ではなく「事業所得」に区分される。

問67 2)

課税時期の終値と、課税時期の属する月以前3ヵ月間の毎日の最終価額の各月ごとの平均額のうち、最も低い価額で評価する。したがって、1～4の中で最も低い価額である「11月中の終値平均株価2,600円」となる。

証券市場の基礎知識

問68 ×　ESG投資では、「環境(Environmental)」、「社会(Social)」、「ガバナンス(Governance)」の3つの要素を投資決定に組み込むことが求められる。

問69 3)、4)

1) ×　直接金融に区分される。
2) ×　銀行は、金融商品仲介業務を行うことができる。
3) ○　証券金融会社は、信用取引の決済に必要な金銭や有価証券を金融商品取引業者に貸付ける業務を行っている。
4) ○　日本証券業協会は、金融商品取引法における自主規制機関の1つである。
5) ×　投資者保護とは、証券価格を保証することではない。

セールス業務

問70 3)

・金融事業者は、顧客本位の業務運営を実現するための明確な方針を策定・公表するとともに、当該方針に係る取組状況を定期的に公表すべきである。当該方針は、より良い業務運営を実現するため、(定期的に見直されるべきである)。

・金融事業者は、取引における顧客との利益相反の可能性について正確に把握し、利益相反の可能性がある場合には、当該利益相反を適切に管理すべきである。金融事業者は、そのための具体的な対応方針を(あらかじめ策定すべきである)。

・金融事業者は、顧客の最善の利益を追求するための行動、顧客の公正な取扱い、利益相反の適切な管理等を促進するように設計された報酬・業績評価体系、従業員研修その他の適切な動機づけの枠組みや(適切なガバナンス体制を整備すべきである)。

金融商品取引法

問1　○　金融商品取引業務のうち、元引受業務については、内閣総理大臣（金融庁長官）の登録が必要である。

問2　○　１年を経過した者は会社関係者とはならず、内部者取引の規制を受けない。

問3　×　役職員の地位利用・投機的利益の追求は、禁止されている。

問4　○　流通市場における開示義務に該当する。

問5　○　最良執行義務に関する規定に該当する。

問6　2)、3)

1) ×　責任を負う。
2) ○　金融商品仲介業者は、顧客からの金銭もしくは有価証券の預託を受けることが禁止されている。
3) ○　主要株主の異動は、重要事実に該当する。
4) ×　記述は、「馴合取引」ではなく「仮装取引」の説明である。
5) ×　有価証券店頭デリバティブ取引業務は、許可制から登録制に変更された。

問7　4)、5)

1) ○　仮装取引の説明として正しい記述である。
2) ○　市場操作情報の流布の禁止規定に該当する。
3) ○　現実取引による相場操縦の禁止規定に該当する。
4) ×　このような取引は、原則として禁止されているが、有価証券の募集・売出し等を容易にするために行う場合は、安定操作取引として、一定の要件のもとで認められている。
5) ×　「原則として」ではなく、「例外なく」禁止されている。

金融商品の勧誘・販売に関係する法律

問8 × 書面の交付による方法も認められている。

問9 × 個人情報に該当する。

問10 × 本人だけでなく、代理人についても取引時確認が必要である。

協会定款・諸規則

問11 ○ 外務員の要件に該当する。

問12 ○ 取引公正性の確保に該当する。

問13 ○ 内部者登録カードの規定に該当する。

問14 ○ 外国投資信託証券の買戻し義務の規定に該当する。

問15 1)、2)

1) ○ 取引公正性の確保に該当する。
2) ○ 投資目的は、「顧客カード」に記載すべき事項に含まれる。
3) × 口頭又は書面等による概要の説明を行わなければならない。
4) × 当該顧客の住所、事務所の所在地又は当該顧客が指定した場所へ郵送することを原則としている。
5) × 書面による承諾を受けた場合であっても、自己がその相手方となって売買を成立させることはできない。

問16 1)、4)

1) ○ 照合通知書による報告の規定に該当する。

2) × 原則として、禁止されているが、例外として認められる場合がある。

3) ×「営業責任者」ではなく、「広告審査担当者」の審査を受けなければならない。

4) ○ 適格機関投資家である銀行は特定投資家に区分されるため、確認書の徴求は必要ない。

5) × 一種外務員の同行の有無にかかわらず行うことはできない。

問17 1)、5)

1) ○ 外務員の資質向上のための社内研修の規定に該当する。

2) × 外務員登録を受けた者でなければ、外務員の職務を行わせることはできない。

3) ×「単純な寄託契約」「委任契約」「混蔵寄託契約」「質権者としての契約」「消費寄託契約」による場合がある。

4) × 二種外務員はカバードワラントに係る外務行為はできない。

5) ○ 一種外務員の同行がある場合には、信用取引に係る注文を受託できる。

取引所定款・諸規則

問18 × 上場審査の対象となるのは、形式要件のすべてに適合するものである。

問19 × 事業継続年数は、形式要件の1つである。

問20 ○ 価格優先の原則として正しい記述である。

問21 ○ 発行会社の純資産の額は、株券の上場廃止基準の1つである。

問22 × 金融商品取引業者だけでなく、取引所取引許可業者や登録金融機関も認められている。

株式業務

問23 × そのような規制はなく立会時間内でも可能である。

問24 ○ 「自己又は委託の別」は、注文伝票に記載すべき事項の1つである。

問25 × 売買が成立しなかった場合には、契約締結時交付書面の交付は行われない。

問26 ○ 株式の新規上場の公開価格の決定方法には、競争入札方式とブックビルディング方式の2種類がある。

問27 × 手数料は、「注文伝票」ではなく「契約締結時交付書面」に記載すべき事項である。

問28 2)

$$1株当たり当期純利益 = \frac{当期(純)利益}{発行済株式総数}$$

$$1株当たり当期純利益 = \frac{3{,}000万円}{500万株} = 6円$$

$$PER = \frac{株価}{1株当たり純利益}$$

$$PER = \frac{180円}{6円} = 30.0倍$$

$$ROE = \frac{当期(純)利益}{自己資本(期首・期末平均)} \times 100$$

$$ROE = \frac{0.3億円}{24.8億円 - 17.3億円} \times 100 = 4.0\%$$

問29　5）

・A社株式の約定代金（株価×購入株数）
(1,250円×2,000株)＋(1,300円×4,000株)
＝7,700,000円…①

・委託手数料（消費税相当額を含む）
(7,700,000円×0.700%＋12,500円)×1.10
＝73,040円…②

・受渡金額
①＋②＝7,773,040円

債券業務

問30　○　建設国債は財政法、借換国債は特別会計に関する法律に基づき発行される。

問31　○　市場金利と債券利回りは同じ方向に動くが、債券価格は市場金利や債券利回りとは逆に動く。

問32　×　店頭売買の受渡日は、原則として自由である。

問33　×　記述は、「国庫短期証券」ではなく、「政府保証債」の説明である。

問34　○　着地取引の説明として正しい記述である。

問35　3）

$$\text{所有期間利回り} = \frac{\text{利率} + \dfrac{\text{売却価格} - \text{購入価格}}{\text{所有年数}}}{\text{購入価格}} \times 100$$

$$\text{所有期間利回り} = \frac{3.0 + \dfrac{105.00 - 99.00}{3}}{99.00} \times 100 \fallingdotseq 5.050\%$$

問36 2)

売り手の受渡代金＝約定代金＋経過利子－(委託手数料＋消費税相当額)

問37 2)

最終利回りがわかっていて価格がわからないときには、次の式により価格(単価)を計算することができる。

$$\text{価格} = \frac{100 + \text{利率} \times \text{残存期間(年)}}{100 + \text{最終利回り} \times \text{残存期間(年)}} \times 100$$

$$\text{価格} = \frac{100 + 3.4 \times 1}{100 + 1.37 \times 1} \times 100 \fallingdotseq 102.00\cdots \text{約}102\text{円}$$

〈別解〉

求める購入単価をx円として最終利回りの公式をたて、選択肢の単価(101円、102円、103円、104円、105円)を当てはめて計算し、計算結果が1.37%に最も近いものが正解となる。

$$\text{最終利回り} = \frac{\text{利率} + \dfrac{\text{償還価格} - \text{購入価格}}{\text{残存期間}}}{\text{購入価格}} \times 100$$

$$\text{最終利回り} = \frac{3.4 + \dfrac{100 - x}{1}}{x} \times 100 = 1.37\%$$

xに102をあてはめて計算したときが、1.37%に最も近くなる。

投資信託及び投資法人に関する業務

問38 × 人数に制限はない。

問39 ○ なお、設立時の発行価額の総額は、1億円以上とされている。

問40 ○　投資法人は、設立については届出制を採用しているが、業務については登録制を採用している。

問41 ×　信託報酬は、投資信託財産の運用管理を行うことに対する報酬である。

問42 ×　「受益者」ではなく、「投資信託委託会社」の指図に基づき行使する。

問43 ×　「一般事務受託者」ではなく、「資産保管会社」に委託しなければならない。

問44 ○　投資法人の監督役員は、当該投資法人の執行役員を兼任することが認められていない。

問45 4)、5)

1) ×　信託期間の終了前に償還されることもある。

2) ×　MMFの決算は毎日行われ、分配金は毎月末に再投資される。

3) ×　MMFは、追加型公社債投資信託である。

4) ○　外国投資信託を日本で販売する際、日本で設定された投資信託と同じルールの下で販売が行われる。

5) ○　スポット型投資信託の説明として正しい記述である。

問46 1)

付随業務

問47 2)、3)

1) × 記述の業務は、「金融商品取引業務」である。
2) ○ 累積投資契約の対象有価証券に非上場株式は含まれない。
3) ○ 有価証券に関する顧客の代理は、付随業務である。
4) × 記述の業務は、付随業務である。
5) × 記述の買付けの場合は、インサイダー取引規制の違反とはならない。

経済・金融・財政の常識

問48 1)、3)

1) ○ 国民経済計算では、「国内総生産＝雇用者報酬＋営業余剰・混合所得＋固定資本減耗＋(間接税－補助金)」の式が成立する。
2) × 反対の記述である。好況期に上昇し、不況期に低下する。
3) ○ 「企業物価指数(CGPI)」の説明として正しい記述である。
4) × 「60日以内」ではなく、「30日以内」である。
5) × 完全失業者数を労働力人口で除して求める。

問49 1)、2)

1) ○ 日本銀行の金融市場調節の方針は、政策委員会・金融政策決定会合で決定され、その方針にしたがって日々の金融調節が行われている。
2) ○ 日本銀行が行う公開市場操作では、国庫短期証券は対象となるが、個別の株式は対象とならない。
3) × 買いオペレーションは、「上昇要因」ではなく、「低下要因」となる。
4) × 最も金額の大きな経費は、「文教及び科学振興費」ではなく、「社会保障関係費」である。
5) × 日銀が民間の金融機関へ貸付けを行うときに適用される金利である。

株式会社法概論

問50 × 大会社は、貸借対照表だけでなく、損益計算書も公告する。

問51 × 剰余金の配当は、金銭以外の財産を支給する方法(現物配当)も認められている。

問52 ○ 種類株式発行会社の説明として正しい記述である。

問53 ○ 会社の設立時に、発行する株式の全部を発起人だけで引き受けるのが発起設立である。

問54 ○ 株主総会の議事録は、本店には10年間備え置かれ、株主及び会社債権者の閲覧に供される。

問55 4)、5)

1) × 監査役会(設置していない会社は監査役)ではなく、「取締役会(設置しない会社は株主総会)」の承認を受けなければならない。
2) × いかなる場合でも定款の作成は省略できない。
3) × 取締役会を設置しない会社でも、最低1名の取締役が必要である。
4) ○ 指名委員会等設置会社には、必ず会計監査人を設置しなければならない。
5) ○ 合併の種類には、新設合併と吸収合併がある。

財務諸表と企業分析

問56 ○ 売掛金と受取手形は、いずれも当座資産に分類される。

問57 × 非支配株主持分とは、親会社に帰属しない部分のことをいう。

問58 × 流動比率(%)=(流動資産÷流動負債)×100

問59 × 支配が一時的である場合などは、連結の範囲に含めてはならない。

問60 ○ キャッシュ・フロー計算書の説明として正しい記述である。

問61 4）

イ 営業利益＝売上高－売上原価－販売費及び一般管理費

営業利益＝85,000百万円－62,000百万円－20,000百万円＝3,000百万円

ロ 経常利益＝営業利益＋営業外収益－営業外費用

経常利益＝3,000百万円＋4,000百万円－5,000百万円＝2,000百万円

ハ 税引前当期純利益＝経常利益＋特別利益－特別損失

税引前当期純利益＝2,000百万円＋700百万円－400百万円＝2,300百万円

ニ 当期純利益＝税引前当期純利益－法人税、住民税及び事業税

当期純利益＝2,300百万円－1,000百万円＝1,300百万円

証券税制

問62 ○ 財形住宅貯蓄及び財形年金貯蓄の利子所得の非課税最高限度額は、一人当たり財形住宅貯蓄と財形年金貯蓄の合計で元本550万円である。

問63 × 配当控除の適用を受ける場合には、確定申告をする必要がある。

問64 ○ 公募株式投資信託の収益分配金に対する源泉徴収税率は、20.315％（所得税、復興特別所得税及び住民税の合計）である。

問65 ○ 確定申告不要制度の対象とされるものに、内国法人から支払いを受ける公募証券投資信託の収益の分配に係る所得、源泉徴収選択口座内保管上場株式等の譲渡による所得が含まれる。

問66 × 源泉徴収を選択した特定口座を通じて売買を行った場合は、申告不要とすることや必要に応じて確定申告することもできる。

問67 5)

譲渡所得の金額を計算する際には、被相続人の取得価額(4,520円)が引き継がれる。

証券市場の基礎知識

問68 ○ ESG投資において考慮すべき要素のうち、「環境」では気候変動、生物多様性、森林喪失などがある。

問69 2)、3)

1) × 債券の発行によるものも直接金融に区分される。

2) ○ 金融商品取引業の規制には、金融庁による公的規制と自主規制機関を通じて行われる規制がある。

3) ○ 証券取引等監視委員会には、インサイダー取引や金融商品取引業者による損失保証や損失補填等の公正を損なう行為についての強制調査権が付与されている。

4) × 投資者保護基金の補償対象には、信用取引に係る保証金及び代用有価証券も含まれる。

5) × 投資者保護基金の補償限度額は、1人当たり1,000万円までである。

セールス業務

問70 3)

1．誠実・公正

業者は、その業務に当たっては、顧客の最大の利益及び市場の健全性を図るべく、誠実かつ公正に行動しなければならない。

2．注意義務

業者は、その業務に当たっては、顧客の最大の利益及び市場の健全性を図るべく、相当の技術、配慮及び注意をもって行動しなければならない。

金融商品取引法

問1 × 有価証券店頭デリバティブ取引業務については、「許可制」から「登録制」に変更された。

問2 ○ 発行者、発行者の関係者及び引受人以外の者が行う既に開示されている有価証券の売出しについては目論見書の交付は不要である。

問3 ○ 有価証券報告書の提出義務のある上場会社等の経営者は、有価証券報告書・半期報告書の他に、確認書を提出する必要がある。

問4 ○ 有価証券報告書の提出義務のある上場会社等は事業年度ごとに、内部統制報告書を有価証券報告書と併せて内閣総理大臣に提出しなければならない。

問5 × 「10日」ではなく、「5日」以内に提出しなければならない。

問6 2)、5)

1) × 小切手や約束手形は含まれない。
2) ○ 役員及び主要株主における取引の報告義務に該当する。
3) × 記述は、「媒介」ではなく「取次ぎ」の説明である。「媒介」とは、他人間の取引の成立に尽力する第三者の行為のことである。
4) × 買付けに係る勧誘及び売付けに係る勧誘の両方について適用される。
5) ○ 虚偽の表示行為等の禁止規定は、勧誘行為がなくても適用される。

問7　1)、4)

1)　○　役職員の地位利用の禁止規定に該当する。

2)　×　有価証券の保有の有無にかかわらず、公正な価格形成を損なうおそれがある行為をすることは禁止されており、特にその銘柄が現にその金融商品取引業者等が保有している有価証券である場合には、大量推奨販売行為は厳しく禁じられている。

3)　×　自己の固有財産と分別して保管しなければならない。

4)　○　金融商品取引業者等とその役職員は、顧客に対して誠実かつ公正に、その業務を遂行しなければならない。

5)　×　特定投資家を含めた何人も禁止されている。

金融商品の勧誘・販売に関係する法律

問8　○　勧誘方針の策定及び公表義務に該当する。

問9　○　消費者契約法による契約の取り消し事由(不退去)に該当する。

問10　○　個人情報保護法における個人情報の定義として正しい記述である。

協会定款・諸規則

問11　○　取引安全性の確保義務に該当する。

問12　×　一切禁止ではない。有価証券の売買に関連し、顧客の資金又は有価証券の借入れにつき行う保証、あっせん等の便宜の供与については、顧客の取引金額その他に照らして過度にならないよう、適正な管理を行わなければならない。

問13　○　取引公正性の確保等に該当する。

問14 ×　協会員は、有価証券の売買その他の取引等を行う顧客について「顧客カード」を備え付ける必要があり、「顧客の投資目的」は、「顧客カード」に記載しなければならない。

問15 2)、5)

1) ×　顧客の名義又は住所を使用することは、禁止されている。

2) ○　「投資経験の有無」は、「顧客カード」に記載すべき事項に含まれる。

3) ×　信用取引については、協会員が取引開始基準を定めなければならない。

4) ×　新株予約権証券の外務行為は、二種外務員の資格では行えない。

5) ○　不適切行為の禁止規定に該当する。

問16 1)、4)

1) ○　顧客に交付すべき書類を交付しないことの禁止規定に該当する。

2) ×　協会員の従業員は、いかなる名義を用いているかを問わず、自己の計算において、信用取引を行うことは禁止されている。

3) ×　照合通知書を交付するときは、顧客との直接連絡を確保する趣旨から、当該顧客の住所、事務所の所在地又は当該顧客が指定した場所に郵送することが原則である。

4) ○　照合通知書の作成は、協会員の検査、監査又は管理を担当する部門で行う。

5) ×　顧客の区分にしたがってそれぞれに定める頻度で報告しなければならない。

問17 4)、5)

1) × 協会員は、顧客から照合通知書の記載内容について照会があったときは、検査、監査又は管理を担当する部門において受け付け、当該部門から直接に遅滞なく回答を行わなければならない。

2) × 外務員の登録を受けている者については、その登録を受けた日を基準として5年ごとの日の属する月の初日から1年以内に、協会の資格更新研修を受講させなければならない。

3) × カバードワラントの外務行為は、二種外務員の資格では行えない。

4) ○ 取引公正性の確保に該当する。

5) ○ 適合性の原則の説明として正しい記述である。

取引所定款・諸規則

問18 ○ 金融商品取引所の取引参加者は、取引所市場における有価証券の売買等を重要な業務とする者でなければならない。

問19 × 顧客も「受託契約準則」を遵守すべき義務がある。

問20 × 国債証券とは異なり、地方債証券については上場申請が必要である。

問21 × 外国株券に特有な性質にも配慮して審査を行う。

問22 × ザラ場とは、板寄せ売買を除いた寄付と引けの間の時間、及びその間の売買方法を総称して指す。

株式業務

問23 ○ 株価純資産倍率（PBR）は、株価を1株あたり純資産で除して求める。

問24 × 個人が売買を行うことができる外国株券には、国内の金融商品取引所に上場されている銘柄を対象とする「国内委託取引」のほか、「外国取引（海外委託取引）」と「国内店頭取引」によるものがある。

問25 ○ 委託注文の有効期間は、顧客が指示すべき事項に該当する。

問26 × 金融商品取引業者は、売買注文に係る売買が成立しなければ、契約締結時交付書面を当該顧客に交付しない。

問27 × 顧客間交渉方式も可能である。

問28 5）

$$1株当たりキャッシュ・フロー = \frac{当期純利益＋減価償却費}{発行済株式総数}$$

$$1株当たりキャッシュ・フロー = \frac{140億円 + 40億円}{5億株} = 36円$$

$$PCFR = \frac{株価}{1株当たりキャッシュ・フロー}$$

$$PCFR = \frac{1{,}512円}{36円} = 42倍$$

問29 5）

① 株価純資産倍率(PBR)

$$純資産 = 総資産 - 総負債$$

$$純資産 = 600億円 - 450億円 = 150億円$$

$$1株当たり純資産 = \frac{純資産}{発行済株式総数}$$

$$1株当たり純資産 = \frac{150億円}{0.5億株} = 300円$$

$$株価純資産倍率 = \frac{株価}{1株当たり純資産}$$

$$株価純資産倍率 = \frac{800円}{300円} \fallingdotseq 2.6倍$$

② 株価収益率(PER)

$$1株当たり当期純利益 = \frac{当期(純)利益}{発行済株式総数}$$

$$1株当たり当期純利益 = \frac{10億円}{0.5億株} = 20円$$

$$株価収益率 = \frac{株価}{1株当たり純利益}$$

$$株価収益率 = \frac{800円}{20円} = 40.0倍$$

債券業務

問30 ○ 外国の政府や法人が日本国内において円貨建で発行する債券のことを、一般に円建外債(サムライ債)という。

問31 ○ 日本国外(ユーロ市場)において発行される円建債をユーロ円債という。

問32 ○ ラダー型のポートフォリオとは、短期から長期までの債券を各年度ごとに均等に保有し、毎期、同じ満期構成を維持するポートフォリオのことである。

問33 × 事業債の発行体は、「地方公共団体」ではなく、「民間事業会社」である。

問34 × 金融商品取引業者(証券会社)は社債管理者になることができない。

問35 1)

転換社債型新株予約権付社債の利回り計算は、通常の債券の利回り計算と同様である。

$$最終利回り = \frac{利率 + \frac{償還価格 - 購入価格}{残存期間}}{購入価格} \times 100$$

$$最終利回り = \frac{3.0 + \frac{100 - 106}{6}}{106} \times 100 \fallingdotseq 1.886\%$$

問36 5)

$$約定代金 = 額面 \times \frac{購入単価}{100円}$$

$$約定代金 = 1{,}000{,}000円 \times \frac{103円}{100円}$$
$$= 1{,}030{,}000円$$

$$委託手数料 = 額面 \times \frac{手数料}{100円} \times (1 + 消費税率)$$

$$委託手数料 = 1{,}000{,}000円 \times \frac{0.3円}{100円} \times 1.10$$
$$= 3{,}300円$$

$$受渡代金 = 約定代金 + 経過利子 + 委託手数料$$

$$受渡代金 = 1{,}030{,}000円 + 1{,}400円 + 3{,}300円$$
$$= 1{,}034{,}700円$$

問37 5)

$$パリティ価格 = \frac{株価}{転換価額} \times 100$$

$$パリティ価格 = \frac{680円}{800円} \times 100 = 85円$$

$$乖離率 = \frac{転換社債の時価 - パリティ価格}{パリティ価格} \times 100$$

$$乖離率 = \frac{100円 - 85円}{85円} \times 100 \fallingdotseq 17.64\%$$

問38 ○ 委託者指図型投資信託の受託会社となり得るのは、信託会社又は信託業務を営む認可金融機関に限られている。

問39 ○ 投資信託の信託財産に組み入れた有価証券に係る議決権は、投資信託委託会社の指図に基づき受託会社が行使する。

問40 × 会社型投資信託はファンド自体に法人格がある。

問41 ○ 投資信託の信託報酬は、投資信託財産の運用管理を行うことに対する報酬である。

問42 × 目論見書は、投資信託を販売する際、あらかじめ又は同時に投資家に交付しなければならない。

問43 ○ 外国投資信託を日本で販売する場合、日本で設定された投資信託と同じルールの下で販売が行われる。

問44 × 当該金融商品取引業者の商号、名称、登録番号のほか所属金融商品取引業協会についての情報や手数料等に関する事項、リスク情報等についても明瞭かつ正確に表示しなければならない。

問45 1)、4)

1) ○ MMFの決算は毎日行われ、元本超過額が分配される。

2) × MRFの決算は「毎月」ではなく、「毎日」行われる。

3) × MMFの販売単位は、「1万口」ではなく、「1口(1口1円)」である。

4) ○ MRFは一般的に午前中に解約を受付け、かつ投資家が当日支払いを希望した場合のみ当日に、それ以外は翌営業日に解約代金が支払われる。

5) × MMFの換金代金の支払日は、「4営業日目の日」ではなく、「翌営業日」である。

問46 1)

クローズド・エンド型(解約禁止)

発行証券の一部解約又は買戻しと、これによる基金の減少が原則として行われず、オープン・エンド型と比較して基金の資金量が安定する。

オープン・エンド型(解約自由)

発行証券の一部解約又は買戻しと、これによる基金の減少が絶えず行われる。

付随業務

問47 4)

1) × 貸金業その他金銭の貸付け又は金銭の貸借の媒介に係る業務は、届出業務である。
2) × 店頭デリバティブ取引は、金融商品取引業務である。
3) × 私設取引システム(PTS)運営業務は、金融商品取引業務である。
4) ○ 有価証券に関する顧客の代理は、付随業務である。
5) × 商品市場における取引に係る業務は、届出業務である。

経済・金融・財政の常識

問48 1)、2)

1) ○ 有効求人倍率は、一般に好況期に上昇し、不況期に低下する。
2) ○ 「全国企業短期経済観測調査(いわゆる日銀短観)」は、日本銀行が3ヵ月に一度公表している。
3) × 経常収支は、貿易・サービス収支、第一次所得収支、第二次所得収支の合計である。
4) × 「GDPデフレーター」は、名目GDPを実質GDPで除して求められる。
5) × 「完全失業率」は、完全失業者数を労働力人口で除して求められる。

問49 1)、4)

1) ○ 短資会社は、短期金融市場における金融機関相互の資金取引の仲介業務を行っている。

2) × 個別の株式は対象とならない。

3) × 「租税負担」ではなく、「租税負担と社会保障負担の合計」の比率である。

4) ○ 日本銀行の代表的な金融政策手段としては、①公開市場操作と②預金準備率操作の２つが代表的である。

5) × 地方税とは、納税者が地方公共団体に納める税金である。

株式会社法概論

問50 × 大会社は、資本金５億円以上又は負債総額200億円以上の会社とされる。

問51 ○ 土地や建物などを対価として株式を発行する現物出資については、その旨を定款に記載しなければならない。

問52 × 「全部の株式」ではなく、「全部又は一部の株式」である。

問53 ○ 株式会社の解散原因には、株主総会の特別決議がある。

問54 ○ Ａ社がＢ社の議決権総数の４分の１以上を持つときは、Ｂ社がＡ社株を持っていてもそれには議決権がない。

問55　1）、3）

1）○　株式会社は、株券を発行する旨を定款で定めない限り、株券を発行することはできない。

2）×　帳簿閲覧権は、少数株主権に含まれる。

3）○　株主は、株主名簿の名義が書き換えられるまでは、会社に対して自己が株主である旨を主張することができない。

4）×　取締役はどの会社にも必ず設置しなければならない。取締役会を設置しない会社でも、最低1名は必要である。

5）×「6ヵ月以内」ではなく、「3ヵ月以内」に訴訟を起こす必要がある。

財務諸表と企業分析

問56　×　記述は、「貸借対照表」ではなく、「損益計算書」の説明である。

問57　○　当期純利益が同額の企業間において、資本金の額の少ない企業の方が資本金(純)利益率は高くなる。

問58　○　負債比率は一般に低い方が望ましい。

問59　×　当座比率＝(当座資産÷流動負債)×100

問60　○　キャッシュ・フロー計算書における「キャッシュ」とは、現金及び現金同等物である。

問61　5)

配当性向とは、当期(純)利益に対する配当金の割合を示すもののことである。

当期(純)利益＝33,200百万円－12,700百万円－18,900百万円
　　　　　　　－140百万円－700百万円－301百万円
　　　　　　＝459百万円

$$配当性向 = \frac{配当金}{当期(純)利益} \times 100$$

1)　×　（5円×8,500,000株／459,000,000円）×100≒9.2％
2)　×　（8円×8,500,000株／459,000,000円）×100≒14.8％
3)　×　（10円×8,500,000株／459,000,000円）×100≒18.5％
4)　×　（15円×8,500,000株／459,000,000円）×100≒27.7％
5)　○　（20円×8,500,000株／459,000,000円）×100≒37.0％

証券税制

問62　×　1通を税務署に提出し、1通を特定口座開設者に交付する。

問63　×　配当控除の適用を受ける場合には、確定申告をする必要がある。

問64　○　大口株主以外の上場株式の配当金については、その配当所得に対して20.315％（所得税、復興特別所得税及び住民税の合計）が源泉徴収される。

問65　×　事業的な規模に該当する場合は、事業所得に分類される。

問66　○　所得税の確定申告をする場合の所得金額の計算上、収入金額は、源泉徴収された所得税等がある場合には、当該所得税等が差し引かれる前の金額に基づいて計算する。

問67 4）

$$1株当たり取得価額 = \frac{買い単価 \times 購入株数 = 取得価額合計}{購入株数合計}$$

$$1株当たり取得価額 = \frac{1{,}500円 \times 2{,}000株 + 1{,}400円 \times 4{,}000株 + 1{,}300円 \times 4{,}000株}{2{,}000株 + 4{,}000株 + 4{,}000株}$$

$$= 1{,}380円$$

$$税額 = 売却益 \times 税率$$

$$税額 = (1{,}600円 - 1{,}380円) \times 5{,}000株 \times 20.315\% = 223{,}465円$$

証券市場の基礎知識

問68 × 「サステナビリティ・リンク・ボンド」は資金使途を限定しないものである。

問69 3）、5）

1）× 株式会社でなければ、第一種金融商品取引業の登録を受けることはできない。

2）× 記述は、「流通市場」ではなく、「発行市場」の説明である。

3）○ 証券金融会社は、信用取引の決済に必要な金銭又は有価証券を金融商品取引業者に貸し付ける業務を行っている。

4）× 損失が少額であっても、金融商品取引業者がその損失を補塡することをあらかじめ約しておくことは、投資者保護の観点から、不適切な行為である。

5）○ 日本証券業協会は、金融商品取引法における自主規制機関の1つに含まれる。

セールス業務

問70 5)

・金融事業者は、顧客の最善の利益を追求するための行動、顧客の公正な取扱い、利益相反の適切な管理等を促進するように設計された報酬・業績評価体系、従業員研修その他の適切な動機づけの枠組みや適切なガバナンス体制を整備すべきである。

・装丁デザイン：小川あづさ（ATOZデザイン）
・本文デザイン：Malpu Design
・イラスト：良知高行（GOKU）

2024-2025年試験をあてる TACスーパー予想模試 証券外務員二種

（2014-2015年版 2014年10月30日 初版 第1刷発行）
2024年8月10日 初 版 第1刷発行

編著者 TAC株式会社（証券外務員講座）
発行者 多田敏男
発行所 TAC株式会社 出版事業部（TAC出版）
〒101-8383
東京都千代田区神田三崎町3-2-18
電話 03(5276)9492(営業)
FAX 03(5276)9674
https://shuppan.tac-school.co.jp
組版 株式会社グラフト
印刷 株式会社ワコー
製本 東京美術紙工協業組合

ISBN 978-4-300-11353-0
N.D.C. 338

(2024年2月現在)

書籍のご購入は

1 全国の書店、大学生協、ネット書店で

2 TAC各校の書籍コーナーで

資格の学校TACの校舎は全国に展開!
校舎のご確認はホームページにて

資格の学校TAC ホームページ
https://www.tac-school.co.jp

3 TAC出版書籍販売サイトで

TAC 出版 で 検索

https://bookstore.tac-school.co.jp/

新刊情報を
いち早くチェック!

たっぷり読める
立ち読み機能

学習お役立ちの
特設ページも充実!

TAC出版書籍販売サイト「サイバーブックストア」では、TAC出版および早稲田経営出版から刊行されている、すべての最新書籍をお取り扱いしています。
また、会員登録(無料)をしていただくことで、会員様限定キャンペーンのほか、送料無料サービス、メールマガジン配信サービス、マイページのご利用など、うれしい特典がたくさん受けられます。

サイバーブックストア会員は、特典がいっぱい!(一部抜粋)

通常、1万円(税込)未満のご注文につきましては、送料・手数料として500円(全国一律・税込)頂戴しておりますが、1冊から無料となります。

専用の「マイページ」は、「購入履歴・配送状況の確認」のほか、「ほしいものリスト」や「マイフォルダ」など、便利な機能が満載です。

メールマガジンでは、キャンペーンやおすすめ書籍、新刊情報のほか、「電子ブック版TACNEWS(ダイジェスト版)」をお届けします。

書籍の発売を、販売開始当日にメールにてお知らせします。これなら買い忘れの心配もありません。

書籍の正誤に関するご確認とお問合せについて

書籍の記載内容に誤りではないかと思われる箇所がございましたら、以下の手順にてご確認とお問合せをしてくださいますよう、お願い申し上げます。

なお、正誤のお問合せ以外の**書籍内容に関する解説および受験指導などは、一切行っておりません。**

そのようなお問合せにつきましては、お答えいたしかねますので、あらかじめご了承ください。

1 「Cyber Book Store」にて正誤表を確認する

TAC出版書籍販売サイト「Cyber Book Store」の

トップページ内「正誤表」コーナーにて、正誤表をご確認ください。

CYBER BOOK STORE TAC出版書籍販売サイト

URL:https://bookstore.tac-school.co.jp/

2 1の正誤表がない、あるいは正誤表に該当箇所の記載がない ⇒ 下記①、②のどちらかの方法で文書にて問合せをする

★ご注意ください★

お電話でのお問合せは、お受けいたしません。

①、②のどちらの方法でも、お問合せの際には、「お名前」とともに、

「対象の書籍名(○級・第○回対策も含む)およびその版数(第○版・○○年度版など)」

「お問合せ該当箇所の頁数と行数」

「誤りと思われる記載」

「正しいとお考えになる記載とその根拠」

を明記してください。

なお、回答までに1週間前後を要する場合もございます。あらかじめご了承ください。

① ウェブページ「Cyber Book Store」内の「お問合せフォーム」より問合せをする

【お問合せフォームアドレス】

https://bookstore.tac-school.co.jp/inquiry/

② メールにより問合せをする

【メール宛先　TAC出版】

syuppan-h@tac-school.co.jp

※土日祝日はお問合せ対応をおこなっておりません。

※正誤のお問合せ対応は、該当書籍の改訂版刊行月末日までといたします。

乱丁・落丁による交換は、該当書籍の改訂版刊行月末日までといたします。なお、書籍の在庫状況等により、お受けできない場合もございます。

また、各種本試験の実施の延期、中止を理由とした本書の返品はお受けいたしません。返金もいたしかねますので、あらかじめご了承くださいますようお願い申し上げます。

TACにおける個人情報の取り扱いについて

■お預かりした個人情報は、TAC(株)で管理させていただき、お問合せへの対応、当社の記録保管にのみ利用いたします。お客様の同意なしに業務委託先以外の第三者に開示、提供することはございません(法令等により開示を求められた場合を除く)。その他、個人情報保護管理者、お預かりした個人情報の開示等及びTAC(株)への個人情報の提供の任意性については、当社ホームページ(https://www.tac-school.co.jp)をご覧いただくか、個人情報に関するお問い合わせ窓口(E-mail:privacy@tac-school.co.jp)までお問合せください。

(2022年7月現在)

別冊

2024-2025年試験をあてる
TACスーパー予想

模擬試験 問題編

第1回

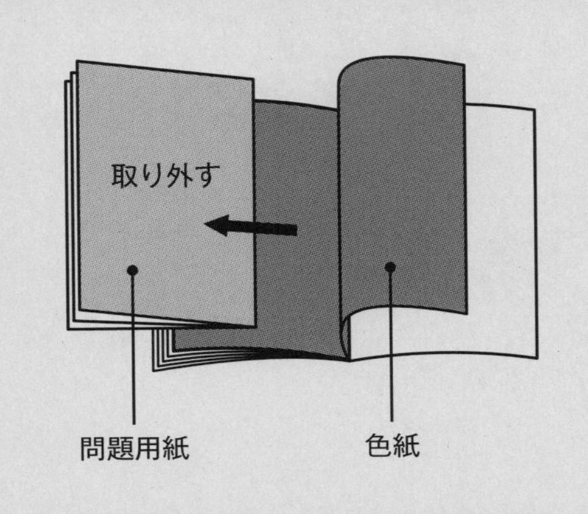

一番外側の色紙（本紙）を残して、問題用紙の冊子を取り外してください。

取り外しの際の損傷についてのお取り替えはご遠慮願います。

第1回

問題用紙

配点（300点満点）は以下のとおりです。

○×方式（全50問）……………各２点
５肢選択方式（全20問）……各10点

※５肢選択方式で２つの解答がある問題の場合、
片方が正解であれば、５点となります。

試験時間：120分

金融商品取引法

問1　次の文章が、正しければ○の方へ、正しくなければ×の方へマークしなさい。

金融商品取引業の対象となる広告に類似する行為には、電子メールによって多数の者に対して同様の内容で行う情報の提供も含まれる。

金融商品取引法

問2　次の文章が、正しければ○の方へ、正しくなければ×の方へマークしなさい。

企業内容等開示制度では、株式の所有者が500人以上のとき、その発行者は、当該株式の所有者が500人以上となった年度を含めて5年間、継続開示義務が課される。

金融商品取引法

問3　次の文章が、正しければ○の方へ、正しくなければ×の方へマークしなさい。

金融商品取引業者等は、金融商品取引行為について、顧客の知識、経験及び財産の状況並びに金融商品取引契約を締結する目的に照らして不適当と認められる勧誘を行って投資者の保護に欠けることのないように業務を営まなければならない。

金融商品取引法

問4　次の文章が、正しければ○の方へ、正しくなければ×の方へマークしなさい。

金融商品取引業者等は、金融商品取引業の内容について広告その他これに類似する行為を行う場合、リスク情報については、12ポイント以上の大きさの文字・数字を用いて明瞭・正確に記載しなければならない。

金融商品取引法

問5　次の文章が、正しければ○の方へ、正しくなければ×の方へマークしなさい。

金融商品取引業者の役職員は、有価証券の売買等その他の取引等につき、顧客に対して当該有価証券の発行者の未公表の法人関係情報を提供して勧誘を行ってはならない。

金融商品取引法

問6　次の文章のうち、正しいものの番号を2つマークしなさい。

1)　金融商品取引業者等は、顧客に対し契約締結前交付書面に記載すべき事項のすべてが記載されている目論見書を交付している場合でも、契約締結前交付書面を交付しなければならない。

2)　有価証券報告書等は、一定の場所に備え置かれ、各書類ごとに定められた期間、公衆の縦覧に供される。

3)「株券等の大量保有の状況に関する開示制度（いわゆる5％ルール）」において、株券等の保有状況を計算するための「株券等保有割合」は、発行済株式総数を保有株券等の数で除して求めることができる。

4)　金融商品取引業者等又はその役員もしくは使用人が顧客に断定的判断を提供して勧誘することの禁止規定は、当該顧客の有価証券の買付けに係る勧誘及び当該顧客の有価証券の売付けに係る勧誘のいずれについても適用される。

5)　金融商品取引業者等又はその役員もしくは使用人は、有価証券の売買その他の取引等に関し、虚偽の表示、又は投資者の投資判断に重大な影響を及ぼすような重要事項について誤解を生ぜしめるような表示は禁止されているが、この規定は勧誘行為がなければ適用されない。

金融商品取引法

問7　次の文章のうち、正しいものの番号を2つマークしなさい。

1）　企業内容に関し財政状態及び経営成績に著しい影響を与える事象が発生した場合、発行会社は訂正報告書を提出しなければならない。

2）　上場会社等の役員又は主要株主が、その会社の特定有価証券について、自己の計算で買付け等(売付け等)をした後1年以内に売付け等(買付け等)をして利益を得たときは、その上場会社等は、その者に対してその利益の返還を請求することができる。

3）　会社関係者が上場会社の業務等に関する重要事実を、公表される前にその立場を利用して知った場合、会社関係者でなくなった後1年間は、その間に当該重要事実が公表された場合でも、当該会社の発行する上場株券の売買をしてはならない。

4）　投資助言・代理業の範囲には、投資顧問契約又は投資一任契約の締結の代理又は媒介が含まれる。

5）「内部者取引規制」に関する重要事実には、合併を決定したことが含まれる。

金融商品の勧誘・販売に関係する法律

問8　次の文章が、正しければ○の方へ、正しくなければ×の方へマークしなさい。

金融サービスの提供及び利用環境の整備等に関する法律において、金融商品の販売等を業として行おうとするときは、原則として金融商品の販売が行われるまでの間に、顧客に重要事項の説明をしなければならない。

金融商品の勧誘・販売に関係する法律

問9　次の文章が、正しければ○の方へ、正しくなければ×の方へマークしなさい。

消費者契約法により、事業者が消費者契約の締結について勧誘をする際に、重要事項について事実と異なる告知をしたことにより、消費者がその内容を事実と誤認した場合、消費者は契約を取り消すことができる。

金融商品の勧誘・販売に関係する法律

問10　次の文章が、正しければ○の方へ、正しくなければ×の方へマークしなさい。

金融商品取引業者は、顧客から受け取った財産が犯罪による収益である疑いがある場合、速やかに所管行政庁に対して疑わしい取引の届出を行わなくてはならない。

協会定款・諸規則

問11　次の文章が、正しければ○の方へ、正しくなければ×の方へマークしなさい。

協会員は、顧客から累積投資契約に基づく有価証券の寄託を受ける場合には、当該顧客と保護預り契約を締結する必要はない。

協会定款・諸規則

問12　次の文章が、正しければ○の方へ、正しくなければ×の方へマークしなさい。

協会員の従業員は、いかなる名義を用いているかを問わず、自己の計算において、信用取引を行ってはならない。

協会定款・諸規則

問13　次の文章が、正しければ○の方へ、正しくなければ×の方へマークしなさい。

協会員は、投資勧誘に当たり、顧客に対し、証券投資は投資者自身の判断と責任において行うべきものであることを理解させる必要がある。

協会定款・諸規則

問14　次の文章が、正しければ○の方へ、正しくなければ×の方へマークしなさい。

本籍は、「顧客カード」に記載すべき事項に含まれている。

協会定款・諸規則

問15　次の文章のうち、誤っているものの番号を２つマークしなさい。

1)　協会員は、顧客（個人に限り、特定投資家を除く）に対し、店頭デリバティブ取引に類する複雑な仕組債及び複雑な投資信託の勧誘を行うに当たって、勧誘開始基準に適合した者でなければ販売の勧誘を行うことができない。

2)　協会員は、顧客（特定投資家を除く）に有価証券関連デリバティブ取引等の販売に係る契約を締結しようとするときは、原則としてあらかじめ、当該顧客に対し、注意喚起文書を交付しなければならない。

3)　店頭有価証券とは、わが国の法人が国内において発行する取引場金融商品市場に上場されていない株券、新株予約権証券及び新株予約権付社債券と定義される。

4)　協会員は、顧客の保護預り口座を設定した場合には、その旨を当該顧客に通知しなくてもよい。

5)　協会員は、公社債の店頭取引を行ったときは、約定年月日等を記載した当該注文に係る伝票等を速やかに作成し、整理、保存する等適切な管理を行わなければならない。

協会定款・諸規則

問16　次の文章のうち、正しいものの番号を2つマークしなさい。

1)　協会員は、照合通知書による報告を行う時点で金銭及び有価証券の残高がない顧客で、直前に行った報告以後1年に満たない期間においてその残高があった顧客については、現在残高がない旨の報告を照合通知書において行わなければならない。

2)　協会員は、信用取引について、取引開始基準を定めることを要しない。

3)　協会員は、契約締結時交付書面を交付する際、顧客との直接連絡を確保する趣旨から、原則として、当該顧客に直接交付する。

4)　日本証券業協会は、登録を受けている外務員が金商法に定める欠格事由に該当したときは、その登録を取り消し、又は2年以内の期間を定めて外務員の職務の停止の処分を行うことができる。

5)　協会員は、顧客に対する債権債務について、照合通知書により報告しなければならないが、その報告回数は、すべての顧客に対して一律に年1回以上と定められている。

協会定款・諸規則

問17　次の文章のうち、正しいものの番号を2つマークしなさい。

1)　協会員は、顧客から照合通知書の記載内容について照会があった際には、検査、監査又は管理を担当する部門において受け付け、営業部門の担当者を通じて当該顧客に回答する。

2)　協会員は、一部の例外を除き、外務員の登録を受けている者については、その登録を受けた日を基準として5年ごとに日本証券業協会の資格更新研修を受講させる必要がある。

3)　新株予約権証券の外務行為は、二種外務員の資格で行うことが認められている。

4)　協会員は、金融商品取引所が有価証券オプション取引の制限又は禁止措置を行っている銘柄について顧客から有価証券オプション取引を受託する場合には、当該顧客に対し、これらの措置等について説明しなければならないが、金融商品取引所が有価証券オプション取引に係る建玉に関して注意喚起を行っている銘柄については、こうした説明は不要である。

5)　協会員の従業員が、所属協会員から顧客に交付するために預託された業務に関する書類を、遅滞なく当該顧客に交付しないことは、禁止行為に該当する。

取引所定款・諸規則

問18　次の文章が、正しければ○の方へ、正しくなければ×の方へマークしなさい。

転換社債型新株予約権付社債の上場審査基準は、発行者に対する基準と上場申請銘柄に対する基準からなっている。

取引所定款・諸規則

問19　次の文章が、正しければ○の方へ、正しくなければ×の方へマークしなさい。

株主数は、東証スタンダード市場への新規上場の形式要件に含まれていない。

取引所定款・諸規則

問20　次の文章が、正しければ○の方へ、正しくなければ×の方へマークしなさい。

上場の対象となる有価証券には、株券や国債証券のほか、小切手や約束手形も含まれている。

取引所定款・諸規則

問21　次の文章が、正しければ○の方へ、正しくなければ×の方へマークしなさい。

指値による呼値は、成行呼値に値段的に優先される。

取引所定款・諸規則

問22　次の文章が、正しければ○の方へ、正しくなければ×の方へマークしなさい。

国債証券の上場に当たっては、発行者からの上場申請は不要である。

株式業務

問23　次の文章が、正しければ○の方へ、正しくなければ×の方へマークしなさい。

株式の立会外バスケット取引を利用できるのは、15銘柄以上で構成され、かつ、総額5,000万円以上のポートフォリオである。

株式業務

問24　次の文章が、正しければ○の方へ、正しくなければ×の方へマークしなさい。

私設取引システム（PTS）において、顧客の提示した指値が取引の相手方となる顧客の提示した指値と一致する場合、当該顧客の提示した指値を用いることができる。

株式業務

問25　次の文章が、正しければ○の方へ、正しくなければ×の方へマークしなさい。

株式の新規上場に際して、まず入札が行われ、その後、その落札価格などを勘案して公開価格を決定する方式を、ブック・ビルディング方式という。

株式業務

問26　次の文章が、正しければ○の方へ、正しくなければ×の方へマークしなさい。

金融商品取引所の売買立会による内国株式の売買の種類は、決済日の違いにより当日決済取引、普通取引、信用取引及び発行日決済取引の４種類に区分されている。

株式業務

問27　次の文章が、正しければ○の方へ、正しくなければ×の方へマークしなさい。

私設取引システム（PTS）で取引対象とされているのは、上場株式のみである。

株式業務

問28　時価1,200円の株式について、１：1.1の株式分割が行われるときの予想権利落相場として、正しいものの番号を１つマークしなさい。

（注）答は、円単位未満を切り捨て。

1）　1,090円
2）　1,100円
3）　1,200円
4）　1,320円
5）　2,520円

株式業務

問29　以下の会社（年１回決算）の株価純資産倍率（PBR）及び株価収益率（PER）の組合せとして、正しいものの番号を１つマークしなさい。

（注）答は、小数第２位以下を切り捨て。また、発行済株式総数及び貸借対照表上の数値は、前期末と当期末において変化はないものとし、純資産と自己資本は同額とする。

発行済株式総数	5,000万株
総資産	450億円
総負債	250億円
当期（純）利益	20億円
株価（時価）	800円

	（PBR）	（PER）
1）	0.5倍	20.0倍
2）	1.8倍	8.0倍
3）	1.8倍	20.0倍
4）	2.0倍	8.0倍
5）	2.0倍	20.0倍

債券業務

問30　次の文章が、正しければ○の方へ、正しくなければ×の方へマークしなさい。

格付とは、発行会社が負う金融債務についての総合的な債務履行能力や個々の債務等が約定どおりに履行される確実性に対する格付機関の意見を簡単な記号で示し、投資者に発行会社や個々の債券の信用度を分かりやすく伝達するものである。

債券業務

問31　次の文章が、正しければ○の方へ、正しくなければ×の方へマークしなさい。

債券の償還には最終償還と期中償還があり、期中償還には発行時に期中償還の時期と額面が決められた定時償還と、発行者の都合で行える任意償還がある。

債券業務

問32　次の文章が、正しければ○の方へ、正しくなければ×の方へマークしなさい。

ダンベル(バーベル)型のポートフォリオとは、短期から長期までの債券を各年度ごとに均等に保有し、毎期、同じ満期構成を維持するポートフォリオである。

債券業務

問33　次の文章が、正しければ○の方へ、正しくなければ×の方へマークしなさい。

現先取引の対象顧客は、一定の金融機関に限定される。

債券業務

問34　次の文章が、正しければ○の方へ、正しくなければ×の方へマークしなさい。

債券の入替売買とは、売買に際し同種・同量の債券などを、一定期間後に一定価格で反対売買することをあらかじめ取り決めて行う取引のことである。

債券業務

問35　利率年2.5%、残存期間5年、購入価格105円の転換社債型新株予約権付社債の最終利回りとして、正しいものの番号を1つマークしなさい。

(注)答は、小数第4位以下を切り捨て。

1)　1.428%
2)　1.534%
3)　1.627%
4)　1.758%
5)　1.816%

債券業務

問36　利率年2.0%、残存期間3年、購入価格102円の利付債券の直接利回りとして、正しいものの番号を1つマークしなさい。

（注）答は、小数第4位以下を切り捨て。

1）　0.816％
2）　0.833％
3）　1.960％
4）　2.500％
5）　2.736％

債券業務

問37　転換社債型新株予約権付社債の価格変動要因に関する組合せとして、正しいものの番号を1つマークしなさい。

		（金利）	（クレジットスプレッド）	（株価）	（ボラティリティ）
1）	価格上昇	低下	縮小	上昇	下落
2）	価格上昇	上昇	拡大	下落	上昇
3）	価格上昇	低下	縮小	上昇	上昇
4）	価格下落	上昇	縮小	上昇	上昇
5）	価格下落	低下	拡大	下落	下落

投資信託及び投資法人に関する業務

問38　次の文章が、正しければ○の方へ、正しくなければ×の方へマークしなさい。

委託者指図型投資信託の投資信託約款の記載内容には、委託者における公告の方法が含まれている。

投資信託及び投資法人に関する業務

問39　次の文章が、正しければ○の方へ、正しくなければ×の方へマークしなさい。

委託者指図型投資信託の受託会社は、信託会社又は信託業務を営む認可金融機関に限られている。

投資信託及び投資法人に関する業務

問40　次の文章が、正しければ○の方へ、正しくなければ×の方へマークしなさい。

投資信託には、元本が保証されているものと、元本が保証されていないものがある。

投資信託及び投資法人に関する業務

問41　次の文章が、正しければ○の方へ、正しくなければ×の方へマークしなさい。

公社債投資信託とは、主として公社債を中心に運用され、株式を一切組み入れることができない証券投資信託のことをいう。

投資信託及び投資法人に関する業務

問42　次の文章が、正しければ○の方へ、正しくなければ×の方へマークしなさい。

販売会社が異なっても同じファンドであれば、販売手数料は同じである。

投資信託及び投資法人に関する業務

問43　次の文章が、正しければ○の方へ、正しくなければ×の方へマークしなさい。

投資法人が、決算期ごとに投資主に対して行う金銭の分配は、当該投資法人の貸借対照表上の純資産額から出資総額等の合計金額を控除した額(利益)の範囲内でなければならない。

投資信託及び投資法人に関する業務

問44　次の文章が、正しければ○の方へ、正しくなければ×の方へマークしなさい。

証券投資信託には、投資信託約款によりあらかじめ解約請求できない期間を定める場合があり、この期間を無分配期間という。

投資信託及び投資法人に関する業務

問45　次の文章のうち、正しいものの番号を２つマークしなさい。

1)　証券総合口座用ファンド(MRF)を、買付から30日以内に解約した場合には、１万口につき10円の信託財産留保額が徴収される。

2)　証券総合口座用ファンド(MRF)の販売単位は１万口(１口１円)である。

3)　MMF (マネー・マネジメント・ファンド)の販売単位は10万口(１口１円)である。

4)　長期公社債投資信託(追加型)には、販売手数料がかからない。

5)　長期公社債投資信託(追加型)の解約代金の支払日は、解約請求日から起算して４営業日目の日となっている。

問46　次の投資信託に関する文章の(　　)に当てはまる語句を下の語群から正しく選んでいるものの番号を１つマークしなさい。

証券投資信託の運用手法であるアクティブ運用には、マクロ経済に対する調査・分析結果によってポートフォリオを組成していく(イ)と、個別企業に対する調査・分析結果の積み重ねでポートフォリオを組成していく(ロ)がある。

さらに、(ロ)によるアクティブ運用には、企業の成長性を重視する(ハ)や、株式の価値と株価水準を比較して、割安と判断される銘柄を中心に組成する(ニ)などがある。

〈語群〉

a．パッシブ運用　　b．インデックス運用
c．トップダウン・アプローチ　　d．ボトムアップ・アプローチ
e．グロース株運用　　f．バリュー株運用

1)　イ－c、ロ－d、ハ－a、ニ－b
2)　イ－c、ロ－d、ハ－e、ニ－f
3)　イ－c、ロ－d、ハ－f、ニ－e
4)　イ－d、ロ－c、ハ－a、ニ－b
5)　イ－d、ロ－c、ハ－e、ニ－f

付随業務

問47　次の文章のうち、正しいものの番号を２つマークしなさい。

1)　金融商品取引業者のうち投資運用業者は、付随業務(金融商品取引法第35条第1項各号に定める業務)を行うことができない。

2)　第一種金融商品取引業者は、顧客から保護預りをしている有価証券を担保とする金銭の貸付けを行うことができる。

3)　貸金業その他金銭の貸付け又は金銭の貸借の媒介に係る業務は、付随業務(金融商品取引法第35条第１項各号に定める業務)に該当する。

4)　株式累積投資とは、金融商品取引業者と顧客との間で行う１売買単位に満たない株式を10分の１の単位で売買できる制度のことである。

5)　ドルコスト平均法とは、株価の動きやタイミング等に関係なく、株式を定期的に継続して一定金額ずつ購入する方法である。

経済・金融・財政の常識

問48　次の文章のうち、正しいものの番号を２つマークしなさい。

1)　雇用関連指標のうち「有効求人倍率」は、有効求職者数を有効求人数で除して求めることができる。

2)　一般にインフレーションが進行すると、貨幣価値は実物資産の価値に比べて、相対的に上昇する。

3)　消費関連指標のうち、「家計貯蓄率」は、家計貯蓄を財産所得で除して求めることができる。

4)　消費者物価指数(CPI)の算出に当たっては、直接税や社会保険料等の非消費支出、土地や住宅等のストック価格は含まれていない。

5)　プライマリーバランスとは、公債金収入以外の収入と、利払費及び債務償還費を除いた支出との収支のことをいう。

経済・金融・財政の常識

問49　次の文章のうち、正しいものの番号を2つマークしなさい。

1）　一国の経済活動は、生産、分配、支出の３つのどの側面から見ても等しいということを「三面等価の原則」という。

2）　オープン市場は、金融機関相互の資金運用・調達の場として利用されており、非金融機関は参加できない市場である。

3）　国の基礎的財政収支対象経費のうち、最大の割合を占めるのは、公共事業関係費となっている。

4）　日本銀行は、銀行券の独占的発行権を有する「発券銀行」としての機能のほかに、政府の出納業務を行う「政府の銀行」としての機能も有している。

5）　労働投入量とは、労働力人口に年間総労働時間を乗じたものである。

株式会社法概論

問50　次の文章が、正しければ○の方へ、正しくなければ×の方へマークしなさい。

会社法で定める大会社の範囲は、資本金５億円以上かつ負債総額200億円以上の会社である。

株式会社法概論

問51　次の文章が、正しければ○の方へ、正しくなければ×の方へマークしなさい。

合資会社には、無限責任社員１名以上と有限責任社員１名以上がいる。

株式会社法概論

問52　次の文章が、正しければ○の方へ、正しくなければ×の方へマークしなさい。

指名委員会等設置会社には、例外なく監査役を設置することができない。

株式会社法概論

問53　次の文章が、正しければ○の方へ、正しくなければ×の方へマークしなさい。

会社の分割のうち、会社の事業の１部門を切り離して別会社として独立させる方法を、新設分割という。

株式会社法概論

問54　次の文章が、正しければ○の方へ、正しくなければ×の方へマークしなさい。

Ａ株式会社がＢ株式会社の議決権総数の５分の１以上の株式を持つとき、Ｂ株式会社がＡ社株式を持っていても議決権は認められない。

株式会社法概論

問55　次の文章のうち、正しいものの番号を２つマークしなさい。

1)　株式会社が、合資会社に組織変更することはできない。

2)　会社法においては、会社の形態として、株式会社、合名会社、合資会社の３種類が規定されている。

3)　株式会社は、一部の株式について異なる権利内容を有する旨を、定款で定めることができる。

4)　単元株制度において、単元株式数は100株以下かつ発行済株式総数の200分の１以下とされている。

5)　新株予約権付社債については、新株予約権と社債のいずれかが消滅するまでは、新株予約権と社債を分離して譲渡することはできない。

財務諸表と企業分析

問56　次の文章が、正しければ○の方へ、正しくなければ×の方へマークしなさい。

貸借対照表は、一定時点における資金の源泉と使途の関係を一覧表示するもので、企業の財政状態の一覧が可能となる。

財務諸表と企業分析

問57　次の文章が、正しければ○の方へ、正しくなければ×の方へマークしなさい。

売上高(純)利益率が一定であるときに、総資本回転率を高めた場合、総資本(純)利益率は低下する。

財務諸表と企業分析

問58　次の文章が、正しければ○の方へ、正しくなければ×の方へマークしなさい。

一般に、固定比率は、高い方が望ましい。

財務諸表と企業分析

問59　次の文章が、正しければ○の方へ、正しくなければ×の方へマークしなさい。

配当性向は、当期(純)利益に対する配当金の割合を示すものであり、配当性向が低いということは、内部留保率が低いことを意味している。

財務諸表と企業分析

問60　次の文章が、正しければ○の方へ、正しくなければ×の方へマークしなさい。

有形固定資産とは、生産準備手段として役立つ実体価値を有する使用資産をいい、土地、建物及び機械装置はこれに含まれる。

財務諸表と企業分析

問61　資料から抜粋した金額が次のとおりである会社の配当率及び配当性向の組合せとして、正しいものの番号を1つマークしなさい。

(注)答は、小数第2位以下を切り捨て。また、発行済株式総数及び資本金の数値は、前期末と当期末において変化はないものとする。

発行済株式総数	2,400,000株
中間配当／7.5円	期末配当／10.0円

(単位：百万円)

純資産合計	資本金	250
	剰余金等	1,250

(単位：百万円)

売上高	50,000
売上原価	40,000
販売費及び一般管理費	8,800
営業外損益	100
特別損益	▲300
法人税、住民税及び事業税	500

	(配当率)	(配当性向)
1)	16.8%	10.8%
2)	2.8%	8.4%
3)	16.8%	8.4%
4)	9.6%	4.8%
5)	8.4%	16.8%

証券税制

問62 次の文章が、正しければ○の方へ、正しくなければ×の方へマークしなさい。

公社債投資信託の収益分配金に係る所得は、所得税法上、配当所得に分類される。

証券税制

問63 次の文章が、正しければ○の方へ、正しくなければ×の方へマークしなさい。

相続によって取得する上場株式の相続税の評価は、課税時期における金融商品取引所の公表する最終価額によらなければならない。

証券税制

問64 次の文章が、正しければ○の方へ、正しくなければ×の方へマークしなさい。

2024年1月現在、居住者(発行済株式総数の3%以上を所有する株主を除く)が受け取る上場株式の配当金については、20.315%(所得税及び復興特別所得税、住民税の合計)が源泉徴収される。

証券税制

問65 次の文章が、正しければ○の方へ、正しくなければ×の方へマークしなさい。

オープン型(追加型)証券投資信託の元本払戻金(特別分配金)は、所得税法上、非課税とはならない。

証券税制

問66 次の文章が、正しければ○の方へ、正しくなければ×の方へマークしなさい。

2024年からのNISA制度において、非課税保有額は、NISA口座で保有する商品を売却しても減少しない。

証券税制

問67　ある個人（居住者）が、上場銘柄Ａ社株式を金融商品取引業者に委託して、現金取引により、2024年8月から同年10月までの間に10,000株を下記のとおり新たに買付け、同年11月に10,000株売却を行った。
この売却による所得に対する所得税及び復興特別所得税並びに住民税の合計金額として、正しいものの番号を1つマークしなさい。

2024年中には、他に有価証券の売買はない。また、売買に伴う手数料その他の諸費用等及び住民税による基礎控除は考慮しない。

なお、計算の途中で端数が生じた場合、取得価額については円未満を切り上げ、税額については、円未満を切り捨てること。

年　月	売買の別	単　価	株　数
2024年8月	買い	4,700円	2,500株
2024年9月	買い	3,000円	4,700株
2024年10月	買い	5,600円	2,800株
2024年11月	売り	4,300円	10,000株

1）　104,410円
2）　149,160円
3）　298,630円
4）　387,820円
5）　458,130円

証券市場の基礎知識

問68　次の文章が、正しければ○の方へ、正しくなければ×の方へマークしなさい。

ESG要素を考慮した投資の手法として、特定の業界、企業、国を投資対象から除外したネガティブ／除外スクリーニングがある。

問69　次の文章のうち、正しいものの番号を２つマークしなさい。

1)　企業の資金調達方法のうち、株式の発行によるもの及び債券の発行によるものは、直接金融に区分される。

2)　投資者保護基金は、会員金融商品取引業者に対して、顧客資産の返還を迅速に行わせるために必要な資金の貸付けを行うことは、いかなる場合にも認められていない。

3)　投資者保護基金の補償対象顧客には、適格機関投資家は含まれていない。

4)　投資者は、自己の判断と責任の下に投資行動を行う必要があるが、その結果、生じた損失が少額である場合に、金融商品取引業者がその損失を補填することをあらかじめ約しておくことは、投資者保護の観点からは、必ずしも不適切な行為とはいえない。

5)　証券取引等監視委員会は、金融商品取引法における自主規制機関の1つに含まれている。

セールス業務

問70　次の文章のうち、「顧客本位の業務運営に関する原則」に関する記述として、正しくないものの番号を1つマークしなさい。

1)　金融事業者は、取引における顧客との利益相反の可能性について正確に把握し、利益相反の可能性がある場合には、当該利益相反を適切に管理すべきであり、金融事業者は、そのための具体的な対応方針をその都度策定すべきである。

2)　金融事業者は、高度の専門性と職業倫理を保持し、顧客に対して誠実・公正に業務を行い、顧客の最善の利益を図るべきである。金融事業者は、こうした業務運営が企業文化として定着するよう努めるべきである。

3)　金融事業者は、顧客本位の業務運営を実現するための明確な方針を策定・公表するとともに、当該方針に係る取組状況を定期的に公表すべきである。当該方針は、より良い業務運営を実現するため、定期的に見直されるべきである。

4)　金融事業者は、名目を問わず、顧客が負担する手数料その他の費用の詳細を、当該手数料等がどのようなサービスの対価に関するものかを含め、顧客が理解できるよう情報提供すべきである。

5)　金融事業者は、顧客との情報の非対称性があることを踏まえ、「手数料等の明確化」に示された事項のほか、金融商品・サービスの販売・推奨等に係る重要な情報を顧客が理解できるよう分かりやすく提供すべきである。

別冊

2024-2025年試験をあてる
TACスーパー予想

模擬試験 問題編

第2回

問題用紙の使い方

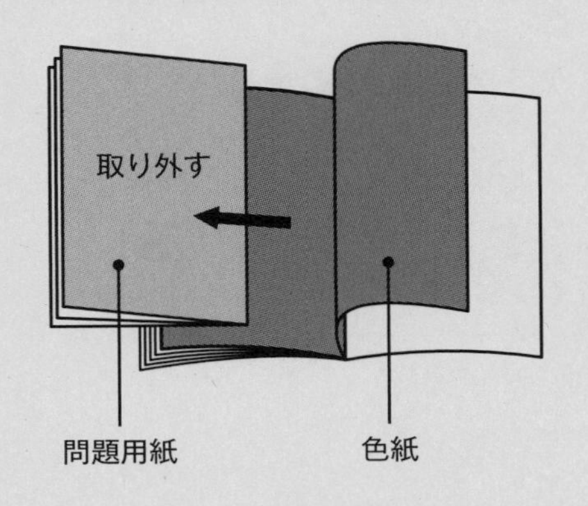

一番外側の色紙（本紙）を残して、問題用紙の冊子を取り外してください。

取り外しの際の損傷についてのお取り替えはご遠慮願います。

第2回

問題用紙

配点（300点満点）は以下のとおりです。

〇×方式（全50問）……………各 2 点
5肢選択方式（全20問）……各10点

※ 5肢選択方式で2つの解答がある問題の場合、
片方が正解であれば、5点となります。

試験時間：120分

金融商品取引法

問1　次の文章が、正しければ○の方へ、正しくなければ×の方へマークしなさい。

自ら内部者取引を行わない場合でも、他人の内部者取引に関与する行為は、共犯として処罰される場合がある。

金融商品取引法

問2　次の文章が、正しければ○の方へ、正しくなければ×の方へマークしなさい。

金融商品取引業者でない者は、金融商品取引業者という商号もしくは名称又はこれに紛らわしい商号もしくは名称を用いてはならない。

金融商品取引法

問3　次の文章が、正しければ○の方へ、正しくなければ×の方へマークしなさい。

有価証券の引受人となった金融商品取引業者等は、その有価証券を売却する場合において、引受人となった日から1年を経過する日までは、その買主に対し、買入代金について貸付けその他信用の供与を行ってはならない。

金融商品取引法

問4　次の文章が、正しければ○の方へ、正しくなければ×の方へマークしなさい。

「企業内容等開示制度（ディスクロージャー制度）」が適用される有価証券には、投資信託の受益証券が含まれている。

金融商品取引法

問5　次の文章が、正しければ○の方へ、正しくなければ×の方へマークしなさい。

外務員は、その所属する金融商品取引業者等に代わり、有価証券の売買その他の取引等に関して、一切の裁判上及び裁判外の行為を行う権限を有する。

金融商品取引法

問6　次の文章のうち、正しいものの番号を2つマークしなさい。

1)　金融商品仲介業者の所属金融商品取引業者等は、原則として、金融商品仲介業者が金融商品仲介業につき顧客に加えた損害の賠償責任を負うことはない。

2)　内部者取引規制に関する重要事実の公表とみなされる事実の1つには、上場会社が提出した重要事実が記載された有価証券報告書が金融商品取引法の規定にしたがい公衆の縦覧に供された場合が含まれている。

3)　上場会社の役員は、自己の計算において、当該上場会社の株式に係る買付け等又は売付け等をした場合には、内閣府令で定める場合を除いて、その売買等に関する報告書を内閣総理大臣(金融庁長官)に提出しなければならない。

4)　有価証券報告書等について電子開示手続を行うものはTDnetを使用して行わなければならない。

5)　有価証券の売買その他の取引等について生じた顧客の損失を、顧客からの要求により金融商品取引業者が補塡したり、顧客との間で補塡を約束する行為は、禁止されていない。

金融商品取引法

問7　次の文章のうち、正しいものの番号を２つマークしなさい。

1)　金融商品取引業者等又はその役員もしくは使用人は、有価証券の売買その他の取引等に関し、虚偽の表示をし、又は投資者の投資判断に重大な影響を及ぼすような重要事項について誤解を生ぜしめるような表示をすることは禁止されているが、この禁止には、特に必要な表示を欠く不作為は含まれていない。

2)　金融商品取引業者等は、金融商品取引業の内容の広告を行う場合には、重要事項について顧客の不利益となる事実も表示しなければならない。

3)　有価証券の売買その他の取引等について生じた顧客の損失を補塡し、又は利益を追加するため、当該顧客等に対し、財産上の利益を提供する行為は、金融商品取引業者等が第三者を通じて行った場合には禁止の対象とならない。

4)　金融商品取引業者等は、顧客から有価証券の売買注文を受託した場合には、あらかじめ、当該顧客に対し自己がその相手方となって当該売買を成立させるのか、又は媒介し、取次ぎし、もしくは代理して行うのかの別を明らかにする必要がある。

5)　上場会社等の株主のうち所有する株式数が上位10名までの者は、自己の計算において特定有価証券等の取引等を行った場合、一定の場合を除いて、取引等に関する報告書を内閣総理大臣に提出しなければならない。

金融商品の勧誘・販売に関係する法律

問8　次の文章が、正しければ○の方へ、正しくなければ×の方へマークしなさい。

金融サービスの提供及び利用環境の整備等に関する法律が規定する金融商品販売業者が行った重要事項の説明義務違反については、故意又は過失の有無を問わない。

金融商品の勧誘・販売に関係する法律

問9　次の文章が、正しければ○の方へ、正しくなければ×の方へマークしなさい。

個人情報の保護に関する法律における個人情報取扱事業者は、個人情報を取り扱うに当たり、その利用目的をできる限り特定しなければならない。

金融商品の勧誘・販売に関係する法律

問10　次の文章が、正しければ○の方へ、正しくなければ×の方へマークしなさい。

犯罪による収益の移転防止に関する法律において、取引時確認を行う際の本人確認書類のうち、有効期限のないものについては、金融商品取引業者が提示又は送付を受ける日の前１年以内に作成されたもののみ認められる。

協会定款・諸規則

問11　次の文章が、正しければ○の方へ、正しくなければ×の方へマークしなさい。

協会員は、顧客から新たに外国株券の売買を受託する際、あらかじめ外国証券取引口座約款を交付し、外国証券取引口座設定に関する申込書を徴求しなければならない。

協会定款・諸規則

問12　次の文章が、正しければ○の方へ、正しくなければ×の方へマークしなさい。

一種外務員は、外務員のうち、外務員の職務のすべてを行うことができる者をいう。

協会定款・諸規則

問13　次の文章が、正しければ○の方へ、正しくなければ×の方へマークしなさい。

協会員の従業員は有価証券の売買その他の取引等に関して、顧客と金銭、有価証券の貸借を行うことは禁止されている。

協会定款・諸規則

問14　次の文章が、正しければ○の方へ、正しくなければ×の方へマークしなさい。

照合通知書の作成は、協会員の営業を担当する部門で行う。

協会定款・諸規則

問15　次の文章のうち、正しいものの番号を２つマークしなさい。

1)　協会員は、高齢顧客（特定投資家を除く）に有価証券等の勧誘による販売を行う場合には、当該協会員の業態、顧客の属性等の条件を勘案し、高齢顧客の定義、販売対象となる有価証券等、説明方法、受注方法等に関する社内規則を定め、適正な投資勧誘に努めなければならない。

2)　協会員の従業員は、顧客から有価証券の売付けの注文を受ける場合、原則として、当該有価証券の売付けが空売りであるか否かの別を確認した上で注文を受けなければならない。

3)　顧客となった動機は、「顧客カード」に記載すべき事項に含まれている。

4)　協会員の従業員は、自己の計算において、特定店頭デリバティブ取引を行うことはできないが、信用取引は行うことができる。

5)　二種外務員の資格で行うことができる外務行為の範囲には、新株予約権証券の売買取引が含まれている。

協会定款・諸規則

問16　次の文章のうち、正しいものの番号を２つマークしなさい。

1)　協会員は、その従業員が銘柄、価格、数量、指値又は成行の区別等、顧客の注文内容について、確認を行わないまま注文を執行することがないよう、指導、監督しなければならない。

2)　本籍は、「顧客カード」に記載すべき事項である。

3)　協会員の従業員は、いかなる名義を用いているかを問わず、自己の計算において、有価証券関連デリバティブ取引を行うことは禁止されている。

4)　協会員は、顧客が株券の名義書換を請求するに際し、自社の名義を貸与できる。

5)　名義人である顧客の配偶者が、名義人本人の取引に係る注文であることを明示して有価証券の売買を発注した場合、本人名義の取引とみなされることは一切ない。

協会定款・諸規則

問17　次の文章のうち、正しいものの番号を2つマークしなさい。

1)　有価証券の売買の勧誘のみ行おうとする者は、一種外務員又は二種外務員の資格を取得すれば、外務員の登録が免除される。

2)　協会員の従業員が有価証券の取引について顧客と損益を共にする際には、あらかじめ当該顧客の承諾を得なければならない。

3)　協会員は、有価証券の売買その他の取引等を行うに当たっては、管理上必要と認められる場合に限り、顧客の注文に係る取引と自己の計算による取引とを峻別することができる。

4)　協会員は、その役員又は従業員のうち、外務員の種類ごとに定める一定の資格がある者でなければ、外務員の登録を受け、また外務員の職務を行わせてはならない。

5)　協会員は、顧客の投資経験、投資目的、資力等を十分に把握し、顧客の意向と実情に適合した投資勧誘を行うよう努めなければならないとされており、これは「適合性の原則」と呼ばれている。

取引所定款・諸規則

問18　次の文章が、正しければ○の方へ、正しくなければ×の方へマークしなさい。

ある金融商品取引所に上場されている銘柄は、他の金融商品取引所に上場することはできない。

取引所定款・諸規則

問19　次の文章が、正しければ○の方へ、正しくなければ×の方へマークしなさい。

金融商品取引所は、転換社債型新株予約権付社債券の上場に際し、その発行会社の発行する株券が上場されている場合、当該転換社債型新株予約権付社債券の上場審査を行わずに上場を決定する。

取引所定款・諸規則

問20　次の文章が、正しければ○の方へ、正しくなければ×の方へマークしなさい。

株券の上場廃止基準の１つには、銀行取引の停止がある。

取引所定款・諸規則

問21　次の文章が、正しければ○の方へ、正しくなければ×の方へマークしなさい。

優先株(非参加型優先株)の上場審査基準として、当該上場申請銘柄の発行会社が、その金融商品取引所の上場会社であることは含まれていない。

取引所定款・諸規則

問22　次の文章が、正しければ○の方へ、正しくなければ×の方へマークしなさい。

取引所市場で行われる国債証券の売買における呼値の制限値幅は、原則として、前営業日の終値から上下1円である。

株式業務

問23　次の文章が、正しければ○の方へ、正しくなければ×の方へマークしなさい。

株式ミニ投資とは、投資者から少額の資金を預り、その金銭を対価として、毎月一定日に特定の銘柄の株式等を買い付ける制度である。

株式業務

問24　次の文章が、正しければ○の方へ、正しくなければ×の方へマークしなさい。

資金と証券の同時又は同日中の引渡しを行う決済のことをDVP決済といい、取引相手の決済不履行から生じる元本リスクを排除することができる。

株式業務

問25　次の文章が、正しければ○の方へ、正しくなければ×の方へマークしなさい。

私設取引システム(PTS)では、顧客間の交渉に基づいて価格を決定することが可能である。

株式業務

問26　次の文章が、正しければ○の方へ、正しくなければ×の方へマークしなさい。

金融商品取引業者は、顧客の売買注文について、約定しなかったときにはその旨を、約定したときにはその旨を、契約締結時交付書面に記載して顧客に交付しなければならない。

株式業務

問27　次の文章が、正しければ○の方へ、正しくなければ×の方へマークしなさい。

1：1.2の株式分割が行われた上場株式の権利付相場は1,440円であったが、権利落後の株価が1,300円になった場合、権利付相場の1,440円に対して100円値上がりしたことになる。

株式業務

問28　売買立会の始値決定直前の注文控（板）の状況が下表のとおりであるとき、決定される始値として、正しいものの番号を1つマークしなさい。

売呼値記載欄	値段	買呼値記載欄
株	円	株
5,000	624	
3,000	623	4,000
2,000	622	2,000
3,000	621	3,000
5,000	620	4,000
2,000	619	3,000
	618	2,000

（注）成行売呼値18,000株、成行買呼値15,000株とする。

1）　619円

2）　620円

3）　621円

4）　622円

5）　623円

株式業務

問29　次の会社（年１回決算）の当期における自己資本（純）利益率（ROE）として、正しいものの番号を１つマークしなさい。

（注）答は、小数第３位以下を切り捨て。

（単位：百万円）

	総資産	自己資本	当期（純）利益
当期	37,500	7,500	380
前期	36,000	7,000	300

1）　4.53％
2）　4.85％
3）　5.06％
4）　5.24％
5）　5.42％

債券業務

問30　次の文章が、正しければ○の方へ、正しくなければ×の方へマークしなさい。

ユーロ円債とは、日本国内で発行される円貨建の債券である。

債券業務

問31　次の文章が、正しければ○の方へ、正しくなければ×の方へマークしなさい。

国の経常経費の歳入不足を補うために発行される特例国債は、赤字国債ともいわれ、各年度における特例公債法に基づいて発行されている。

債券業務

問32　次の文章が、正しければ○の方へ、正しくなければ×の方へマークしなさい。

新規に発行された債券を購入し最終償還日まで所有することを前提とした場合に、１年当たりの利子収入（利率）と１年当たりの償還差損益の合計額を、投資金額で除して求めたものが応募者利回りである。

債券業務

問33　次の文章が、正しければ○の方へ、正しくなければ×の方へマークしなさい。

事業債の引受シンジケート団は、金融商品取引業者及び銀行等の金融機関によって組織される。

債券業務

問34　次の文章が、正しければ○の方へ、正しくなければ×の方へマークしなさい。

社債発行会社は、原則として、社債管理者を設置することが義務付けられているが、各社債券面の金額が1億円以上である場合には、社債管理者を置く必要はない。

債券業務

問35　次の条件の転換社債型新株予約権付社債の乖離率として、正しいものの番号を1つマークしなさい。

(注)答は、小数第3位以下を切り捨て。

転換価額500円　　転換社債型新株予約権付社債の時価101円 転換の対象となる株式の時価450円

1)　▲12.22%
2)　▲10.89%
3)　▲ 9.00%
4)　10.89%
5)　12.22%

債券業務

問36　以下の取引の経過利子を計算する際の経過日数として、正しいものの番号を1つマークしなさい。

○売買有価証券：利付債券（償　還　日：2026年12月10日） （直前の利払日：2024年6月10日） ○約　定　日：2024年6月13日 ○受　渡　日：2024年6月17日

1）　4日
2）　5日
3）　6日
4）　7日
5）　8日

債券業務

問37　ある個人（居住者）が、額面100万円の長期利付国債を取引所取引により単価103円で購入したときの受渡代金として、正しいものの番号を1つマークしなさい。

（注）経過利子は1,400円、委託手数料は額面100円につき30銭（消費税相当額は考慮しないこと）とする。

1）　1,025,400円
2）　1,028,400円
3）　1,031,400円
4）　1,034,400円
5）　1,034,640円

投資信託及び投資法人に関する業務

問38　次の文章が、正しければ○の方へ、正しくなければ×の方へマークしなさい。

投資法人は、資産を主として特定資産に対する投資として運用することを目的として設立された法人であり、資産運用以外の行為を営業とすることは認められていない。

投資信託及び投資法人に関する業務

問39　次の文章が、正しければ○の方へ、正しくなければ×の方へマークしなさい。

投資法人は、投資法人であることが明らかな場合、その商号中に投資法人という文字を用いる必要はない。

投資信託及び投資法人に関する業務

問40　次の文章が、正しければ○の方へ、正しくなければ×の方へマークしなさい。

投資信託の信託財産の運用対象として、有価証券、不動産、不動産の賃借権、地上権などがある。

投資信託及び投資法人に関する業務

問41　次の文章が、正しければ○の方へ、正しくなければ×の方へマークしなさい。

株式の組入比率が30パーセントである証券投資信託は、公社債投資信託に分類される。

投資信託及び投資法人に関する業務

問42　次の文章が、正しければ○の方へ、正しくなければ×の方へマークしなさい。

証券投資信託の信託財産は、有価証券関連デリバティブ取引に係る権利を投資対象とすることができない。

投資信託及び投資法人に関する業務

問43　次の文章が、正しければ○の方へ、正しくなければ×の方へマークしなさい。

投資信託の販売に際し、金融商品取引業者が顧客に対して当該投資信託が有するリスクなどの重要事項についての説明義務を怠り、そのために当該顧客が損害を被った場合であっても、当該金融商品取引業者は損害賠償責任を負わない。

投資信託及び投資法人に関する業務

問44　次の文章が、正しければ○の方へ、正しくなければ×の方へマークしなさい。

委託者指図型投資信託の信託財産に組み入れられている有価証券の名義人は、受益者とされている。

投資信託及び投資法人に関する業務

問45　次の文章のうち、正しいものをイ～ニから選んでいる選択肢の番号を1つマークしなさい。

イ．ETFの売買注文については、指値注文のみ可能である。

ロ．ETFの取引単位は、ファンド毎に異なる。

ハ．信用取引のできる銘柄は上場株券に限られ、ETFの信用取引はできない。

ニ．ETFの換金は、取引所において上場株式と同様に取引所における市場価格での売却によって行う。

1）　イ及びロ
2）　イ及びハ
3）　ロ及びハ
4）　ロ及びニ
5）　ハ及びニ

投資信託及び投資法人に関する業務

問46　次の文章の(　　)に当てはまる語句をａ、ｂから正しく選んでいるものの番号を１つマークしなさい。

・(イ)型の発行証券を換金する場合は、発行証券を市場で売却することになる。
・(ロ)型の発行証券の買戻しは、純資産価格に基づいて行われる。
・(ハ)型は、(ニ)型に比べて、基金の資金量が安定している。

ａ．クローズド・エンド
ｂ．オープン・エンド

1)　イ－ａ、ロ－ｂ、ハ－ａ、ニ－ｂ
2)　イ－ａ、ロ－ｂ、ハ－ｂ、ニ－ａ
3)　イ－ｂ、ロ－ａ、ハ－ａ、ニ－ｂ
4)　イ－ｂ、ロ－ａ、ハ－ｂ、ニ－ａ
5)　イ－ｂ、ロ－ｂ、ハ－ａ、ニ－ｂ

付随業務

問47　次の業務のうち、「金融商品取引業の付随業務（金融商品取引法第35条第１項各号に定める業務）」として、誤っているものの番号を２つマークしなさい。

1)　信用取引に付随する金銭の貸付け
2)　有価証券に関する顧客の代理
3)　私設取引システム（PTS）運営業務
4)　累積投資契約の締結
5)　元引受業務

経済・金融・財政の常識

問48　次の文章のうち、正しいものの番号を2つマークしなさい。

1)　景気動向指数には、先行系列、一致系列、遅行系列の3つの系列があり、東証株価指数は一致系列である。

2)　有効求人倍率が1を上回るということは、仕事が見つからない人が多く、逆に1を下回るということは、求人が見つからない企業が多いことを意味している。

3)　ドルの需要が発生するのは、日本の外国への製品の輸出や外国の債券の売却であり、一方、ドルの供給が発生するのは、外国の日本への製品の輸出と日本債券を売却する場合である。

4)　物価関連指標のうち「GDPデフレーター」は、名目GDPを実質GDPで除して求めることができる。

5)　住宅関連統計のうち「住宅着工統計」は、工事着工ベースであるため、新設住宅着工戸数は景気の変動に先行して動く傾向があり、景気先行指標として利用されている。

経済・金融・財政の常識

問49　次の文章のうち、正しいものの番号を2つマークしなさい。

1)　マネーストックとは、国内の金融機関が保有する通貨量のことをいう。

2)　通貨には、商品の価値を通貨で示すことが可能になるという、価値の計算単位としての機能がある。

3)　CPとはコマーシャル・ペーパーのことであり、その法的性格は約束手形である。

4)　公開市場操作とは、日本銀行が預金準備率を変更することで金融機関の支払準備を増減させ、金融に影響を与える政策である。

5)　国民負担率とは、国民所得に対する社会保障負担の比率のことである。

株式会社法概論

問50　次の文章が、正しければ○の方へ、正しくなければ×の方へマークしなさい。

会社法で定める公開会社は、その発行する全部又は一部の株式について、株式を譲渡するときには会社の承認を要する旨の定款の定めを設けていない株式会社のことをいう。

株式会社法概論

問51　次の文章が、正しければ○の方へ、正しくなければ×の方へマークしなさい。

株式会社の最低資本金は、500万円である。

株式会社法概論

問52　次の文章が、正しければ○の方へ、正しくなければ×の方へマークしなさい。

自己株式の取得は、出資の払戻しと同じであるため、いかなる場合も認められない。

株式会社法概論

問53　次の文章が、正しければ○の方へ、正しくなければ×の方へマークしなさい。

少数株主権とは、1株しか持たない株主でも行使できる権利のことである。

株式会社法概論

問54　次の文章が、正しければ○の方へ、正しくなければ×の方へマークしなさい。

株式会社を設立するための発起人となることができるのは、自然人に限られる。

株式会社法概論

問55　次の文章のうち、正しいものの番号を2つマークしなさい。

1)　会社が事業の全部を譲渡した場合、当該会社は当然に解散する。

2)　指名委員会等設置会社の監査委員会、指名委員会及び報酬委員会は、いずれの委員会もそのメンバーは取締役会が選ぶ3名以上の取締役であり、その過半数は社外取締役でなければならない。

3)　株式を併合すると、発行済株式数は減少し、1株当たりの実質的価値は小さくなる。

4)　剰余金の配当は分配可能額の範囲内でなされる必要があるが、一事業年度において配当を行うことのできる回数は2回までである。

5)　分配可能額がないのに行われた配当は無効であり、会社債権者は、株主に対してこれを会社へ返還するよう要求することができる。

財務諸表と企業分析

問56　次の式が、正しければ○の方へ、正しくなければ×の方へマークしなさい。

$$配当性向(\%) = \frac{配当金(年額)}{資本金} \times 100$$

財務諸表と企業分析

問57　次の文章が、正しければ○の方へ、正しくなければ×の方へマークしなさい。

損益計算書において、受取配当金は特別利益に分類される。

財務諸表と企業分析

問58　次の文章が、正しければ○の方へ、正しくなければ×の方へマークしなさい。

流動比率は、一般に100%より低い方が望ましい。

財務諸表と企業分析

問59　次の文章が、正しければ○の方へ、正しくなければ×の方へマークしなさい。

一般に、総資本回転率が低いほど、資本効率は高い。

財務諸表と企業分析

問60　次の文章が、正しければ○の方へ、正しくなければ×の方へマークしなさい。

貸借対照表において、のれん及び特許権は流動資産に分類される。

財務諸表と企業分析

問61　資料から抜粋した金額(単位：百万円)が、次のとおりである会社に関する記述として、正しいものをイ～ハから選んでいる選択肢の番号を１つマークしなさい。

(注)答は、小数第２位を切り捨て

売上高	60,000
変動費	36,000
利　益	6,000

イ．限界利益率は60.0％である。
ロ．損益分岐点は45,000百万円である。
ハ．損益分岐点比率は133.3％である。

1)　イ及びロ
2)　イ及びハ
3)　ロ及びハ
4)　ロのみ
5)　ハのみ

証券税制

問62　次の文章が、正しければ○の方へ、正しくなければ×の方へマークしなさい。

証券投資信託(公社債投資信託を除く)の収益分配金は、配当所得に区分される。

証券税制

問63　次の文章が、正しければ○の方へ、正しくなければ×の方へマークしなさい。

居住者が保有する公募株式投資信託の一部解約による損失が発生した場合、当該損失は上場株式の譲渡益と損益通算することができる。

証券税制

問64　次の文章が、正しければ○の方へ、正しくなければ×の方へマークしなさい。

2024年中においては、所得税額の2.1%が復興特別所得税として追加的に課税される。

証券税制

問65　次の文章が、正しければ○の方へ、正しくなければ×の方へマークしなさい。

所得税の確定申告における所得金額の計算上、収入金額とは、所得税(復興特別所得税を含む)を控除した手取額である。

証券税制

問66　次の文章が、正しければ○の方へ、正しくなければ×の方へマークしなさい。

「居住者に対する国内課税」に関して、株式など有価証券の譲渡を事業的な規模で行う継続的取引から生ずる所得は、譲渡所得に区分される。

証券税制

問67　甲氏は11月27日に父親を亡くし、上場銘柄A社株式を相続した。A社株式の1株当たりの11月27日の終値、及び最近4ヵ月の最終価額の月平均額が以下のとおりである場合、財産評価通達による当該株式の1株当たりの相続税評価額として、正しいものの番号を1つマークしなさい。

1)　11月27日の終値　2,700円
2)　11月中の終値平均株価　2,600円
3)　10月中の終値平均株価　2,710円
4)　9月中の終値平均株価　2,650円
5)　8月中の終値平均株価　2,590円

証券市場の基礎知識

問68　次の文章が、正しければ○の方へ、正しくなければ×の方へマークしなさい。

サステナブル・ファイナンスにおいて、「教育（Education）」、「社会（Social）」、「ガバナンス（Governance）」の３つの要素を投資決定に組み込むことをESG投資という。

証券市場の基礎知識

問69　次の文章のうち、正しいものの番号を２つマークしなさい。

1)　企業の資金調達方法のうち、債券の発行によるものは間接金融に区分されている。

2)　銀行は金融商品仲介業務を行うことはできない。

3)　証券金融会社は、金融商品取引法に基づき免許を受け、信用取引の決済に必要な金銭や有価証券を金融商品取引業者（金融商品取引所の取引参加者又は会員）に貸し付ける業務を行っている。

4)　日本証券業協会は、金融商品取引法における自主規制機関の１つである。

5)　金融商品取引法上の投資者保護とは、すべての証券価格を保証することである。

セールス業務

問70　次の文章は、金融庁から公表されている金融機関等が顧客本位の業務運営におけるベスト・プラクティスを目指すうえで有用と考えられる原則を定めた「顧客本位の業務運営に関する原則」に関する記述である。それぞれの（　　）に当てはまる語句の組み合わせとして、正しいものの番号を１つマークしなさい。

・金融事業者は、顧客本位の業務運営を実現するための明確な方針を策定・公表するとともに、当該方針に係る取組状況を定期的に公表すべきである。当該方針は、より良い業務運営を実現するため、（ イ ）。
・金融事業者は、取引における顧客との利益相反の可能性について正確に把握し、利益相反の可能性がある場合には、当該利益相反を適切に管理すべきである。金融事業者は、そのための具体的な対応方針を（ ロ ）。
・金融事業者は、顧客の最善の利益を追求するための行動、顧客の公正な取扱い、利益相反の適切な管理等を促進するように設計された報酬・業績評価体系、従業員研修その他の適切な動機づけの枠組みや（ ハ ）。

a．あらかじめ策定すべきである。
b．定期的に見直されるべきである。
c．販売・推奨等を行うべきである。
d．適切なガバナンス体制を整備すべきである。

1）　イ－a　ロ－d　ハ－b
2）　イ－b　ロ－c　ハ－d
3）　イ－b　ロ－a　ハ－d
4）　イ－c　ロ－a　ハ－b
5）　イ－c　ロ－d　ハ－a

別冊

2024-2025年試験をあてる TACスーパー予想

模擬試験 問題編

第3回

問題用紙の使い方

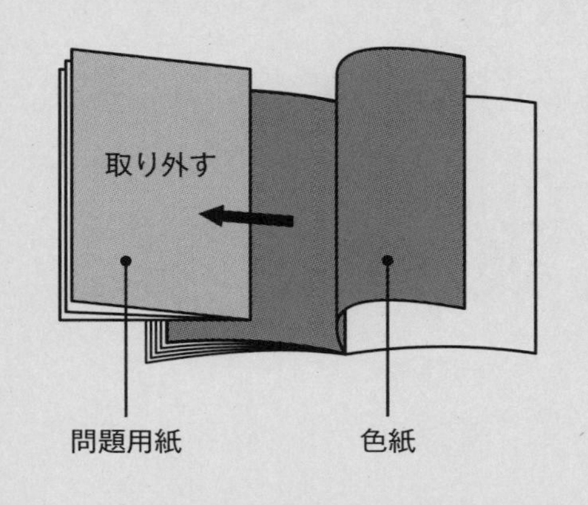

一番外側の色紙（本紙）を残して、問題用紙の冊子を取り外してください。

取り外しの際の損傷についてのお取り替えはご遠慮願います。

第3回

問題用紙

配点（300点満点）は以下のとおりです。

◯×方式（全50問）……………各 2 点
5肢選択方式（全20問）……各10点

※5肢選択方式で2つの解答がある問題の場合、
片方が正解であれば、5点となります。

試験時間：120分

金融商品取引法

問1　次の文章が、正しければ○の方へ、正しくなければ×の方へマークしなさい。

金融商品取引業務のうち、元引受業務については、内閣総理大臣（金融庁長官）の登録を要する。

金融商品取引法

問2　次の文章が、正しければ○の方へ、正しくなければ×の方へマークしなさい。

以前、会社関係者であったが、会社関係者でなくなってから1年を経過した者は、内部者取引規制の対象とはならない。

金融商品取引法

問3　次の文章が、正しければ○の方へ、正しくなければ×の方へマークしなさい。

金融商品取引業者等の役員もしくは使用人が、自己の職務上の地位を利用して顧客の有価証券の売買等に係る注文の動向その他職務上知り得た特別の情報に基づいて売買等を行い、又は専ら投機的利益の追求を目的として売買等を行うことは禁止されていない。

金融商品取引法

問4　次の文章が、正しければ○の方へ、正しくなければ×の方へマークしなさい。

有価証券報告書の提出を義務付けられる上場株式会社等は、その事業年度が6ヵ月を超える場合には、経理の状況その他の重要事項を記載した半期報告書を提出しなければならない。

金融商品取引法

問5　次の文章が、正しければ○の方へ、正しくなければ×の方へマークしなさい。

金融商品取引業者等が顧客から注文を受けようとする場合には、あらかじめ当該顧客に対して最良執行方針等を記載した書面を交付しなければならない。

金融商品取引法

問6　次の文章のうち、正しいものの番号を2つマークしなさい。

1)　外務員の行為の効果は直接金融商品取引業者等に帰属するが、金融商品取引業者等は顧客の有価証券の売買その他の取引等に関し、外務員の負った債務について直接履行する責任を負うことはない。

2)　金融商品仲介業者は、金融商品仲介業に関して、いかなる名目によるかを問わず顧客から金銭もしくは有価証券の預託を受けることはできない。

3)　「内部者取引規制」において、主要株主の異動は、上場会社等の業務に関する重要事実に該当する。

4)　いわゆる馴合取引とは、上場有価証券等について、取引状況に関し他人に誤解を生じさせる目的をもって、権利の移転、金銭の授受等を目的としない売買取引のことである。

5)　金融商品取引業務のうち、有価証券店頭デリバティブ取引については、リスクが大きいため、内閣総理大臣(金融庁長官)の認可を要する。

金融商品取引法

問7　次の文章のうち、誤っているものの番号を2つマークしなさい。

1）　仮装取引とは、上場有価証券等の売買取引について、取引状況に関し他人に誤解を生じさせる目的をもって、権利の移転、金銭の授受等を目的としない取引である。

2）　取引を誘引する目的をもって、取引所金融商品市場における上場金融商品等の相場が自己又は他人の操作によって変動する旨を流布することは、禁止されている。

3）　上場有価証券等の売買取引を誘引する目的をもって、取引所金融市場における上場金融商品等の相場を変動させる一連の有価証券売買等取引については、禁止されている。

4）　取引所金融商品市場における上場金融商品等の相場をくぎ付けにし、固定し、又は安定させる目的で、一連の有価証券売買等を取引することは一切禁止されている。

5）　取引所金融商品市場によらないで、取引所金融商品市場における相場により差金の授受を目的とする行為は、原則として、禁止されている。

金融商品の勧誘・販売に関係する法律

問8　次の文章が、正しければ○の方へ、正しくなければ×の方へマークしなさい。

金融サービスの提供及び利用環境の整備等に関する法律において、金融商品販売業者等が、重要事項の説明を行う場合は、口頭によるものでなくてはならない。

金融商品の勧誘・販売に関係する法律

問9　次の文章が、正しければ○の方へ、正しくなければ×の方へマークしなさい。

法人の情報は、個人情報の保護に関する法律においては対象とされていないため、法人の代表者や取引担当者個人を識別することができる情報は、個人情報に該当しない。

金融商品の勧誘・販売に関係する法律

問10　次の文章が、正しければ○の方へ、正しくなければ×の方へマークしなさい。

犯罪による収益の移転防止に関する法律において、代理人と取引を行う場合、金融商品取引業者は、本人についてのみ取引時確認を行えばよい。

協会定款・諸規則

問11　次の文章が、正しければ○の方へ、正しくなければ×の方へマークしなさい。

協会員は、その役員又は従業員のうち、外務員の種類ごとに定める一定の資格がある者でなければ、外務員の登録を受け、また外務員の職務を行わせてはならない。

協会定款・諸規則

問12　次の文章が、正しければ○の方へ、正しくなければ×の方へマークしなさい。

協会員が顧客との間で外国債券（国内金融商品取引所に上場されているものを除く）の国内店頭取引を行うに当たっては、合理的な方法で算出された時価（社内時価）を基準とした適正な価格によって取引を行わなければならない。

協会定款・諸規則

問13　次の文章が、正しければ○の方へ、正しくなければ×の方へマークしなさい。

協会員は、顧客が上場会社等の役員に該当する場合、上場会社等の特定有価証券等に係る売買等が行われるまでに内部者登録カードを備え付けなければならない。

協会定款・諸規則

問14　次の文章が、正しければ○の方へ、正しくなければ×の方へマークしなさい。

協会員は、外国投資信託証券が選別基準に適合しなくなった場合においても、顧客から買戻しの取次ぎ又は解約の取次ぎの注文があったときは、これに応じなければならない。

協会定款・諸規則

問15　次の文章のうち、正しいものの番号を２つマークしなさい。

1）　協会員は、国債の発行日前取引を初めて行う顧客に対し、あらかじめ当該取引が停止条件付売買であることを説明するものとされている。

2）　投資目的は、「顧客カード」に記載すべき事項に含まれる。

3）　協会員が顧客との間で外国債券の国内店頭取引を行うに当たっては、顧客が求める場合であっても、取引価格の算定方法等について、口頭又は書面等による概要の説明は要しない。

4）　照合通知書を顧客に交付する際には顧客との直接連絡を確保する趣旨から、顧客に店頭で直接交付することを原則としている。

5）　協会員の従業員は、顧客から有価証券の売買注文を受けた際に、当該顧客から書面による承諾を受けた場合に限り、自己がその相手方となって売買を成立させることができる。

協会定款・諸規則

問16　次の文章のうち、正しいものの番号を２つマークしなさい。

1）　協会員は、顧客に対する債権債務の残高について、照合通知書により、顧客の区分にしたがってそれぞれの定める頻度で、顧客に報告しなければならない。

2）　協会員は、顧客から受託した上場銘柄の空売りについて、直近の取引所の公表する価格以下の価格による空売りを行うことは、いかなる場合も禁止されている。

3）　協会員の従業員が、従業員限りで広告等の表示又は景品類の提供を行う際には、所属営業単位の営業責任者の審査を受けなければならない。

4）　協会員は、顧客が新株予約権証券取引を開始する際には、当該顧客から確認書を徴求するものとされているが、当該顧客が銀行である場合には、この徴求を要しない。

5）　二種外務員は、所属協会員の一種外務員の同行がある場合には、選択権付債券売買取引に係る外務行為を行うことが認められている。

協会定款・諸規則

問17　次の文章のうち、正しいものの番号を2つマークしなさい。

1)　協会員は、登録を受けている外務員について、外務員資格更新研修とは別に、毎年、外務員の資質の向上のための社内研修を受講させなければならない。

2)　協会員が、外務員の職務を行わせることができるのは、外務員資格を取得した者又は外務員登録を受けた者である。

3)　協会員が顧客から有価証券の寄託を受けることができるのは、「単純な寄託契約」による場合に限定される。

4)　カバードワラントに係る外務行為は、二種外務員の資格で行える。

5)　二種外務員は、所属協会員の一種外務員の同行がある場合には、顧客から信用取引に係る注文を受託できる。

取引所定款・諸規則

問18　次の文章が、正しければ○の方へ、正しくなければ×の方へマークしなさい。

東証スタンダード市場への新規上場の上場審査の対象となるのは、形式要件の過半数に適合するものである。

取引所定款・諸規則

問19　次の文章が、正しければ○の方へ、正しくなければ×の方へマークしなさい。

東証スタンダード市場への新規上場の形式要件には、事業継続年数は含まれていない。

取引所定款・諸規則

問20　次の文章が、正しければ○の方へ、正しくなければ×の方へマークしなさい。

価格優先の原則においては、低い値段の売呼値が高い値段の売呼値に優先する。

取引所定款・諸規則

問21　次の文章が、正しければ○の方へ、正しくなければ×の方へマークしなさい。

株券の上場廃止基準の1つには、発行会社の純資産の額がある。

取引所定款・諸規則

問22　次の文章が、正しければ○の方へ、正しくなければ×の方へマークしなさい。

金融商品取引所における国債先物等取引参加者は、金融商品取引業者に限られる。

株式業務

問23　次の文章が、正しければ○の方へ、正しくなければ×の方へマークしなさい。

上場株式の売買取引については、立会時間外に限って取引所市場外においても行うことができる。

株式業務

問24　次の文章が、正しければ○の方へ、正しくなければ×の方へマークしなさい。

「自己又は委託の別」は、注文伝票に記載すべき事項の１つである。

株式業務

問25　次の文章が、正しければ○の方へ、正しくなければ×の方へマークしなさい。

金融商品取引業者は、顧客から株式の売買注文を受託したときには、当該注文に係る売買が成立したか否かに関係なく、契約締結時交付書面を当該顧客に交付しなければならない。

株式業務

問26　次の文章が、正しければ○の方へ、正しくなければ×の方へマークしなさい。

株式の新規上場に際して、公開価格の決定方法には、競争入札方式とブックビルディング方式の2種類がある。

株式業務

問27　次の文章が、正しければ○の方へ、正しくなければ×の方へマークしなさい。

「手数料」は、注文伝票に記載すべき事項とされる。

株式業務

問28　以下の会社（年１回決算）の株価収益率（PER）及び自己資本利益率（ROE）の組合せとして、正しいものの番号を１つマークしなさい。

（注）答は、小数第２位以下を切り捨て。また、発行済株式総数及び貸借対照表上の数値は、前期末と当期末において変化はないものとし、純資産と自己資本は同額とする。

総資産	24億8,000万円	総負債	17億3,000万円
当期（純）利益	3,000万円	発行済株式総数	500万株
株価（時価）	180円		

	（PER）	（ROE）
1）	30.0倍	1.2%
2）	30.0倍	4.0%
3）	35.0倍	1.2%
4）	35.0倍	4.0%
5）	40.0倍	1.2%

株式業務

問29　ある個人（居住者）が、2024年４月に、取引所取引で現金取引により、上場銘柄Ａ社株式6,000株を成行注文で買い委託したところ、同一日に2,000株を１株1,250円で、また4,000株を１株1,300円でそれぞれ約定が成立した。この場合の受渡金額として、正しいものの番号を１つマークしなさい。

（注）株式委託手数料は下表に基づき計算すること。なお、株式の譲渡に係る所得税は考慮しない。

株式委託手数料額算出表

約定代金	委託手数料額
100万円超　500万円以下 500万円超　1,000万円以下	約定代金×0.900％＋2,500円 約定代金×0.700％＋12,500円
・委託手数料額には消費税10％相当額が加算される。	

1）　7,623,733円

2）　7,629,616円

3）　7,767,740円

4）　7,771,116円

5）　7,773,040円

債券業務

問30　次の文章が、正しければ○の方へ、正しくなければ×の方へマークしなさい。

国債は、その発行根拠法により分類できるが、財政法に基づき発行されるものは建設国債、特別会計に関する法律に基づき発行されるものは借換国債という。

債券業務

問31　次の文章が、正しければ○の方へ、正しくなければ×の方へマークしなさい。

市場金利が低下すると、一般に債券の利回りは低下し、債券価格は上昇する。

債券業務

問32　次の文章が、正しければ○の方へ、正しくなければ×の方へマークしなさい。

長期国債を店頭売買で取引した場合の受渡日は、原則として、約定日から起算して4営業日目の日である。

債券業務

問33　次の文章が、正しければ○の方へ、正しくなければ×の方へマークしなさい。

政府関係機関債で元利払いにつき、政府の保証がついて発行されるものは国庫短期証券である。

債券業務

問34　次の文章が、正しければ○の方へ、正しくなければ×の方へマークしなさい。

債券の着地取引とは、将来の一定の時期に一定の条件で債券を受渡しすることをあらかじめ取り決めて行う売買取引で、原則として約定日から１ヵ月以上先に受渡しする取引をいう。

債券業務

問35　利率年3.0%の10年満期の利付国債を99.00円で買い付けたところ、３年後に105.00円に値上がりしたので売却した。所有期間利回りとして、正しいものの番号を１つマークしなさい。

(注)答は、小数第４位以下を切り捨て。

1)　3.636%
2)　4.050%
3)　5.050%
4)　6.000%
5)　6.050%

債券業務

問36　ある個人（居住者）が、長期利付国債を取引所取引により売り付けた場合の受渡代金を計算する式として、正しい組合せを選んでいる選択肢の番号を１つマークしなさい。

受渡代金＝約定代金（ア）経過利子（イ）（委託手数料（ウ）消費税相当額）

1）（ア）＋　（イ）＋　（ウ）＋
2）（ア）＋　（イ）－　（ウ）＋
3）（ア）－　（イ）＋　（ウ）＋
4）（ア）－　（イ）－　（ウ）＋
5）（ア）－　（イ）－　（ウ）－

債券業務

問37　利率年3.40%、残存期間１年の利付債券について、最終利回りが1.37%となるように購入した場合の購入価格として、正しいものの番号を１つマークしなさい。

（注）答は、小数以下を切り捨て。

1）101円
2）102円
3）103円
4）104円
5）105円

投資信託及び投資法人に関する業務

問38　次の文章が、正しければ○の方へ、正しくなければ×の方へマークしなさい。

投資法人の執行役員は投資主総会で選任されるが、その数は３人以上である。

投資信託及び投資法人に関する業務

問39　次の文章が、正しければ○の方へ、正しくなければ×の方へマークしなさい。

投資法人の設立時の出資総額は、設立の際に発行する投資口の発行価額の総額とされ、その最低額が定められている。

投資信託及び投資法人に関する業務

問40　次の文章が、正しければ○の方へ、正しくなければ×の方へマークしなさい。

投資法人は、設立については届出制を採用しているが、業務については登録制を採用している。

投資信託及び投資法人に関する業務

問41　次の文章が、正しければ○の方へ、正しくなければ×の方へマークしなさい。

投資信託の信託報酬は、投資家が保有する投資信託を解約することによって得た利益のことである。

投資信託及び投資法人に関する業務

問42　次の文章が、正しければ○の方へ、正しくなければ×の方へマークしなさい。

投資信託の信託財産に組み入れている有価証券に係る議決権については、受益者の指図に基づき受託会社が行使する。

投資信託及び投資法人に関する業務

問43　次の文章が、正しければ○の方へ、正しくなければ×の方へマークしなさい。

投資法人は、資産保管業務を一般事務受託者に委託しなければならない。

投資信託及び投資法人に関する業務

問44　次の文章が、正しければ○の方へ、正しくなければ×の方へマークしなさい。

ある投資法人の監督役員になっている者が、当該投資法人の執行役員を兼任することは認められていない。

投資信託及び投資法人に関する業務

問45　次の文章のうち、正しいものの番号を2つマークしなさい。

1)　単位型投資信託は、いかなる場合であっても、信託期間の終了までの間は、償還されない。

2)　MMF（マネー・マネジメント・ファンド）の決算は毎月行われ、分配金は毎月末に再投資される。

3)　MMF（マネー・マネジメント・ファンド）は、追加型株式投資信託に分類される。

4)　外国投資信託を日本で販売する際には、日本で設定された投資信託と同じルールの下で販売が行われる。

5)　単位型投資信託の中には、その時々の投資家のニーズや株式市場、債券市場等のマーケット状況に応じて、これに適合した仕組みの投資信託をタイムリーに設定するスポット型投資信託がある。

投資信託及び投資法人に関する業務

問46　次のうち、「運用報告書」の主な記載事項として、正しいものをイ～ニから選んでいる選択肢の番号を1つマークしなさい。

イ．期中の運用の経過

ロ．運用状況の推移

ハ．株式につき、銘柄毎に前期末・当期末における株数及び当期末現在における時価総額並びに期中の株式の売買総数及び売買総額

ニ．公社債につき、種類及び銘柄毎に、期末現在における時価総額及び期中の売買総額

1)　イ、ロ、ハ及びニ

2)　イ、ロ及びハ

3)　イ、ロ及びニ

4)　ロ、ハ及びニ

5)　ロ及びニ

付随業務

問47　次の文章のうち、正しいものの番号を２つマークしなさい。

1)　「金融商品取引業の付随業務(金融商品取引法第35条第１項各号に定める業務)」に該当するものに、有価証券の売買の媒介、取次ぎ又は代理がある。

2)　累積投資契約の対象有価証券に非上場株式は含まれない。

3)　「金融商品取引業の付随業務(金融商品取引法第35条第1項各号に定める業務)」に該当するものに、有価証券に関する顧客の代理がある。

4)　有価証券に関連する情報の提供又は助言は、付随業務(金融商品取引法第35条第1項各号に定める業務)に該当しない。

5)　インサイダー情報を知った会社関係者がその情報が公開される前に株式累積投資契約に基づく買付けを行った際、その情報を知る前に締結された契約に基づく定期的な買付けであってもインサイダー取引規制の違反となる。

経済・金融・財政の常識

問48　次の文章のうち、正しいものの番号を２つマークしなさい。

1)　国民経済計算では、「国内総生産＝雇用者報酬＋営業余剰・混合所得＋固定資本減耗＋(間接税－補助金)」の式が成立する。

2)　有効求人倍率は、一般に好況期に低下し、不況期に上昇する。

3)　「企業物価指数(CGPI)」には、企業間で取引される中間財の価格を対象とした指数であり、国内企業物価指数、輸出物価指数、輸入物価指数と、これら３つを組み替えたり、調整を加えた参考指数がある。

4)　参議院が衆議院の可決した予算案を受け取ってから60日以内に議決しない場合には、予算は自然成立する。

5)　完全失業率は、労働力人口を完全失業者数で除して求める。

経済・金融・財政の常識

問49　次の文章のうち、正しいものの番号を２つマークしなさい。

1)　日本銀行の金融市場調節の方針は、政策委員会・金融政策決定会合で決定され、その方針にしたがって日々の金融調節が行われている。

2)　日本銀行が行う公開市場操作では、国庫短期証券は対象となるが、個別の株式は対象とならない。

3)　日本銀行の金融政策手段の中心は公開市場操作であり、そのうち買いオペレーションは市中金利の上昇要因となる。

4)　わが国の一般会計における基礎的財政収支対象経費の中で最も金額の大きな経費は、文教及び科学振興費となっている。

5)　基準割引率と基準貸付利率は、民間金融機関の当座預金に適用される金利である。

株式会社法概論

問50　次の文章が、正しければ○の方へ、正しくなければ×の方へマークしなさい。

株式会社の大会社が、定時株主総会終了後遅滞なく公告しなければならない計算書類は、貸借対照表のみである。

株式会社法概論

問51　次の文章が、正しければ○の方へ、正しくなければ×の方へマークしなさい。

会社の剰余金の配当は金銭で行われ、金銭以外の財産によるものは認められない。

株式会社法概論

問52　次の文章が、正しければ○の方へ、正しくなければ×の方へマークしなさい。

２種類以上の株式が並存する会社を種類株式発行会社という。

株式会社法概論

問53　次の文章が、正しければ○の方へ、正しくなければ×の方へマークしなさい。

会社の設立時に、発行する株式の全部を発起人が引き受ける会社設立方法を発起設立という。

株式会社法概論

問54　次の文章が、正しければ○の方へ、正しくなければ×の方へマークしなさい。

株主総会の議事録は、本店には10年間備え置かれ、株主及び会社債権者の閲覧に供される。

株式会社法概論

問55　次の文章のうち、正しいものの番号を２つマークしなさい。

1)　株式会社の取締役が、自己のために当該株式会社と取引をする場合は、監査役会（設置していない会社は監査役）の承認を受けなければならない。

2)　株式会社の設立に際して、あらかじめ株主間相互の同意を得た場合には、定款の作成を省略できる。

3)　取締役会を設置する会社には取締役は３名以上必要であり、取締役会を設置しない会社には取締役を置く必要はない。

4)　指名委員会等設置会社には、必ず会計監査人を設置しなければならない。

5)　２つ以上の会社が合併して１つの会社になる方法としては、当事会社の全部が解散して新会社を設立する新設合併と、当事会社の１つが存続して他の会社を吸収する吸収合併がある。

財務諸表と企業分析

問56　次の文章が、正しければ○の方へ、正しくなければ×の方へマークしなさい。

貸借対照表において、売掛金と受取手形は、いずれも当座資産に分類される。

財務諸表と企業分析

問57　次の文章が、正しければ○の方へ、正しくなければ×の方へマークしなさい。

連結貸借対照表固有の勘定科目である非支配株主持分とは、子会社の資本のうち親会社に帰属する部分のことをいう。

財務諸表と企業分析

問58　次の式が、正しければ○の方へ、正しくなければ×の方へマークしなさい。

流動比率(%)＝(流動負債÷流動資産)×100

財務諸表と企業分析

問59　次の文章が、正しければ○の方へ、正しくなければ×の方へマークしなさい。

親会社は、いかなる場合でも、すべての子会社について連結財務諸表の連結の範囲に含めなければならない。

財務諸表と企業分析

問60　次の文章が、正しければ○の方へ、正しくなければ×の方へマークしなさい。

キャッシュ・フロー計算書は、企業活動の状況を営業活動、投資活動、財務活動という3領域に区分し、そこでのキャッシュ・フローの状況から、企業活動全般の動きを捉えようとするものである。

問61　ある会社(年１回決算)の期末現在の損益計算書から抜粋した科目及び金額は次のとおりである。(　　)に当てはまる数字として、正しいものの番号を１つマークしなさい。

(単位：百万円)

科　　目	金　額
(経常損益の部)	
営業損益	
売上高	85,000
売上原価	62,000
販売費及び一般管理費	20,000
営業利益	(　イ　)
営業外損益	
営業外収益	4,000
営業外費用	5,000
経常利益	(　ロ　)
(特別損益の部)	
特別利益	700
特別損失	400
税引前当期純利益	(　ハ　)
法人税、住民税及び事業税	1,000
当期純利益	(　ニ　)

1)　イは43,000
2)　ロは12,000
3)　ハは 3,100
4)　ハは 2,300
5)　ニは 3,300

証券税制

問62　次の文章が、正しければ○の方へ、正しくなければ×の方へマークしなさい。

財形住宅貯蓄及び財形年金貯蓄に係る利子所得の非課税最高限度額は、財形住宅貯蓄と財形年金貯蓄の合計で一人当たり元本550万円である。

証券税制

問63　次の文章が、正しければ○の方へ、正しくなければ×の方へマークしなさい。

居住者が上場株式の配当金について配当控除の適用を受けたい場合であっても、その配当所得について確定申告を行う必要はない。

証券税制

問64　次の文章が、正しければ○の方へ、正しくなければ×の方へマークしなさい。

2024年1月現在、公募株式投資信託の収益分配金に対する源泉徴収税率は、20.315％（所得税、復興特別所得税及び住民税の合計）である。

証券税制

問65　次の文章が、正しければ○の方へ、正しくなければ×の方へマークしなさい。

居住者に対する国内課税に関して、確定申告不要制度の対象とされるものには、内国法人から支払いを受ける公募証券投資信託の収益の分配に係る所得、源泉徴収選択口座内保管上場株式等の譲渡による所得が含まれる。

証券税制

問66　次の文章が、正しければ○の方へ、正しくなければ×の方へマークしなさい。

居住者が特定口座の「源泉徴収選択口座」を通じて上場株式の売買を行った場合、当該居住者は当該口座について年間の売買損益を通算して、必ず確定申告を行わなければならない。

証券税制

問67　ある個人（居住者）は、被相続人が１株当たり4,520円で取得した上場銘柄Ａ社株式を相続により取得した（相続税の課税時期は３月12日）。その後、Ａ社株式を売却した際、売却による所得を計算するに当たって、１株当たりの取得価額として、正しいものの番号を１つマークしなさい。

1)　３月12日の終値　4,350円
2)　３月中の終値平均株価　4,670円
3)　２月中の終値平均株価　4,530円
4)　１月中の終値平均株価　4,720円
5)　被相続人の取得価額　4,520円

証券市場の基礎知識

問68　次の文章が、正しければ○の方へ、正しくなければ×の方へマークしなさい。
ESG投資において考慮すべき要素には、気候変動がある。

証券市場の基礎知識

問69　次の文章のうち、正しいものの番号を２つマークしなさい。
1)　企業の資金調達方法のうち、株式の発行によるものは直接金融に区分され、債券の発行によるものは間接金融に区分される。
2)　金融商品取引業の規制には、金融庁による公的規制だけでなく、自主規制機関を通じて行われる規制もある。
3)　証券取引等監視委員会には、インサイダー取引や金融商品取引業者による損失保証や損失補塡等の公正を損なう行為についての強制調査権が付与されている。
4)　投資者保護基金の補償対象となる預り資産に、信用取引に係る保証金及び代用有価証券は含まれていない。
5)　投資者保護基金の補償限度額は、顧客１人当たり3,000万円までである。

セールス業務

問70　次の文章は、IOSCO（証券監督者国際機構）の行為規範原則の「誠実・公正」及び「注意義務」の原則である。それぞれの（　　）に当てはまる語句をａ～ｃから正しく選んでいるものの番号を１つマークしなさい。

・業者は、その業務に当たっては、（　イ　）、誠実かつ公正に行動しなければならない。
・業者は、その業務に当たっては、（　ロ　）、相当の技術、配慮及び注意を持って行動しなければならない。

ａ．その業務に適用されるすべての規則を遵守し
ｂ．顧客の最大の利益及び市場の健全性を図るべく
ｃ．利益相反を回避すべく

1）　イ－ａ、　ロ－ｂ
2）　イ－ａ、　ロ－ｃ
3）　イ－ｂ、　ロ－ｂ
4）　イ－ｂ、　ロ－ｃ
5）　イ－ｃ、　ロ－ｃ

別冊

2024−2025年試験をあてる
TACスーパー予想

模擬試験 問題編

第4回

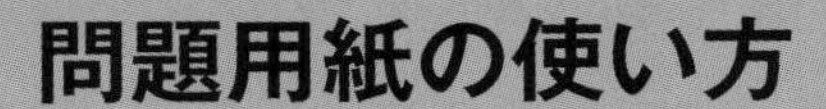

問題用紙の使い方

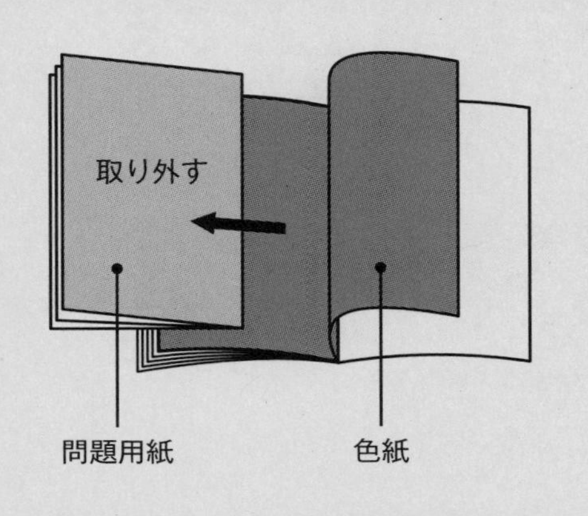

一番外側の色紙（本紙）を残して、問題用紙の冊子を取り外してください。

取り外しの際の損傷についてのお取り替えはご遠慮願います。

第4回

問題用紙

配点（300点満点）は以下のとおりです。

○×方式（全50問）……………各 2 点
5肢選択方式（全20問）……各10点

※5肢選択方式で2つの解答がある問題の場合、片方が正解であれば、5点となります。

試験時間：120分

金融商品取引法

問1　次の文章が、正しければ○の方へ、正しくなければ×の方へマークしなさい。

有価証券店頭デリバティブ取引業務を行うには、内閣総理大臣の認可が必要である。

金融商品取引法

問2　次の文章が、正しければ○の方へ、正しくなければ×の方へマークしなさい。

既に開示されている有価証券の売出しについては、発行者、発行者の関係者及び引受人以外の者が行う場合、当該売出しについての目論見書の交付は不要である。

金融商品取引法

問3　次の文章が、正しければ○の方へ、正しくなければ×の方へマークしなさい。

有価証券報告書の提出義務のある上場会社等の経営者は有価証券報告書・半期報告書の記載内容が金融商品取引法令に基づき適正であることを確認し、確認書を提出する必要がある。

金融商品取引法

問4　次の文章が、正しければ○の方へ、正しくなければ×の方へマークしなさい。

有価証券報告書の提出義務のある上場会社等は事業年度ごとに、内部統制報告書を有価証券報告書と併せて内閣総理大臣に提出しなければならない。

金融商品取引法

問5　次の文章が、正しければ○の方へ、正しくなければ×の方へマークしなさい。

「株券等の大量保有の状況に関する開示制度(いわゆる５％ルール)」に関して、大量保有報告書の提出期限は、株券等の実質的な保有者がこの開示制度に定める大量保有者に該当することとなった日から起算して10日(日曜日その他政令で定める休日の日数は算入しない)以内である。

金融商品取引法

問6　次の文章のうち、正しいものの番号を2つマークしなさい。

1)　金融商品取引法が規制対象とする有価証券には、株券や債券だけでなく、小切手や約束手形も含まれる。

2)　「内部者取引規制」に関して、上場会社等の役員及び主要株主(総株主等の議決権の10％以上を有している者)は、自己の計算において「特定有価証券等」の取引等を行った場合、一定の場合を除いて、取引等に関する報告書を内閣総理大臣に提出しなければならない。

3)　有価証券の売買の媒介とは、自己の名をもって委託者の計算で有価証券を買い入れ又は売却することを引き受けることである。

4)　金融商品取引業者等又はその役員もしくは使用人が顧客に断定的判断を提供して勧誘することの禁止規定は、当該顧客の有価証券の買付けに係る勧誘についてのみ適用され、当該顧客の有価証券の売付けに係る勧誘については適用されない。

5)　金融商品取引業者等又はその役員もしくは使用人は、有価証券の売買その他の取引等に関し、虚偽の表示をし、又は投資者の投資判断に重大な影響を及ぼすような重要な事項について誤解を生ぜしめるような表示をすることは禁止されているが、この禁止規定は勧誘行為がなくても適用される。

金融商品取引法

問7　次の文章のうち、正しいものの番号を２つマークしなさい。

1)　金融商品取引業者の役員もしくは使用人が、自己の職務上の地位を利用して、又は専ら投機的利益の追求を目的として有価証券の売買等をする行為は禁止されている。

2)　金融商品取引業者等又はその役員もしくは使用人が、特定かつ少数の銘柄について、不特定かつ多数の顧客に対し、買付けもしくは売付け又は委託等を一定の期間継続して一斉にかつ過度に勧誘し、公正な価格形成を損なうおそれがある行為をすることは、その銘柄が現にその金融商品取引業者等が保有している有価証券である場合に限って禁止される。

3)　金融商品取引業者等は、顧客から預託を受けた有価証券を、自己の固有財産として保管しなければならない。

4)　金融商品取引業者等とその役職員は、顧客に対して誠実かつ公正に、その業務を遂行しなければならない。

5)　特定投資家を除いて、有価証券の相場の変動を図る目的をもって風説を流布することは、禁止されている。

金融商品の勧誘・販売に関係する法律

問8　次の文章が、正しければ○の方へ、正しくなければ×の方へマークしなさい。

金融サービス提供及び利用環境の整備等に関する法律では、一定事項を記載した勧誘方針の策定及び公表を金融商品販売業者等に義務付けているが、その記載すべき事項に勧誘の方法及び時間帯に関し勧誘の対象となる者に対し配慮すべき事項がある。

金融商品の勧誘・販売に関係する法律

問9　次の文章が、正しければ○の方へ、正しくなければ×の方へマークしなさい。

消費者契約法により、当該事業者に対し、当該消費者がその住居又はその業務を行っている場所から退去すべき旨の意思を示したにもかかわらず、当該事業者がそれらの場所から退去しないことによって消費者が困惑し、それによって消費者契約の申込み又は承諾をした場合は、消費者は契約を取り消すことができる。

金融商品の勧誘・販売に関係する法律

問10　次の文章が、正しければ○の方へ、正しくなければ×の方へマークしなさい。

個人情報の保護に関する法律における個人情報とは、生存する個人の情報で、氏名・生年月日その他の情報により特定の個人を識別することができるもの又は個人識別符号が含まれるもののことである。

協会定款・諸規則

問11　次の文章が、正しければ○の方へ、正しくなければ×の方へマークしなさい。

協会員は、新規顧客、大口取引顧客等からの注文の受託に際しては、あらかじめ当該顧客から買付代金又は売付有価証券の全部又は一部の預託を受ける等、取引の安全性の確保に努める必要がある。

協会定款・諸規則

問12　次の文章が、正しければ○の方へ、正しくなければ×の方へマークしなさい。

協会員は、有価証券の売買に関連し、顧客の資金又は有価証券の借入れにつき行う保証、あっせん等の便宜の供与については、一切行ってはならない。

協会定款・諸規則

問13　次の文章が、正しければ○の方へ、正しくなければ×の方へマークしなさい。

協会員は、上場公社債の取引を初めて行う小口投資家に対する取引所金融商品市場における取引と店頭取引との相違点についての説明等をすることとされている。

協会定款・諸規則

問14　次の文章が、正しければ○の方へ、正しくなければ×の方へマークしなさい。

協会員は、有価証券の売買その他の取引等を行う顧客について「顧客カード」を備え付ける必要があるが、顧客の投資目的については、口頭で確認すればよいことから、「顧客カード」に記載すべき事項には含まれない。

協会定款・諸規則

問15　次の文章のうち、正しいものの番号を２つマークしなさい。

1)　協会員の従業員は、自己の有価証券の売買その他の取引等について顧客の名義又は住所を使用することは禁止されていない。

2)　「投資経験の有無」は、「顧客カード」に記載すべき事項に含まれる。

3)　協会員は、信用取引について、取引開始基準を定めることを要しない。

4)　新株予約権証券の外務行為は、二種外務員の資格で行うことが認められている。

5)　協会員は、その従業員が有価証券等の取引の性格又は取引の条件について、顧客を誤認させるような勧誘をすることのないよう指導、監督しなければならない。

協会定款・諸規則

問16　次の文章のうち、正しいものの番号を２つマークしなさい。

1)　協会員の従業員が、所属協会員から顧客に交付するために預託された業務に関する書類を、遅滞なく当該顧客に交付しないことは、禁止行為に該当する。

2)　協会員の従業員は、いかなる名義を用いているかを問わず、自己の計算において、信用取引を行うことができる。

3)　照合通知書を顧客に交付するときは顧客との直接連絡を確保する趣旨から、顧客に直接交付することを原則としている。

4)　照合通知書の作成は、協会員の検査、監査又は管理を担当する部門で行う。

5)　協会員は、顧客に対する債権債務について、照合通知書により報告しなければならないこととされているが、その報告頻度は、すべての顧客に対して一律に定められている。

協会定款・諸規則

問17　次の文章のうち、正しいものの番号を2つマークしなさい。

1)　協会員は、顧客から照合通知書の記載内容について照会があったときは、検査、監査又は管理を担当する部門において受け付け、営業部門の担当者を通じて当該顧客に回答する。

2)　協会員は、外務員の登録を受けている者については、その登録を受けた日を基準として3年ごとの日の属する月の初日から1年以内に、協会の資格更新研修を受講させなければならない。

3)　カバードワラントの外務行為は、二種外務員の資格で行うことができる。

4)　協会員は、小口投資家との公社債の店頭取引に当たっては、公社債店頭取引の知識啓発に十分留意するものとされている。

5)　協会員は、顧客の投資経験、投資目的、資力等を十分に把握し、顧客の意向と実情に適合した投資勧誘を行うよう努めなければならない。

取引所定款・諸規則

問18　次の文章が、正しければ○の方へ、正しくなければ×の方へマークしなさい。

金融商品取引所の取引参加者は、取引所市場における有価証券の売買等を重要な業務とする者でなければならない。

取引所定款・諸規則

問19　次の文章が、正しければ○の方へ、正しくなければ×の方へマークしなさい。

取引所の定める「受託契約準則」は、当該取引所と取引参加者との間における取引所取引に関する契約内容を定めたものであり、取引参加者にはこれを遵守すべき義務があるが、顧客にはこれを遵守すべき義務はない。

取引所定款・諸規則

問20　次の文章が、正しければ○の方へ、正しくなければ×の方へマークしなさい。

取引所は、国債証券の場合と同様、地方債証券についても、発行者からの上場申請がなくても上場できる。

取引所定款・諸規則

問21　次の文章が、正しければ○の方へ、正しくなければ×の方へマークしなさい。

金融商品取引所における外国株券の上場審査は、内国株券と全く同じ審査基準であり、外国株券に特有な性質が配慮されることはない。

取引所定款・諸規則

問22　次の文章が、正しければ○の方へ、正しくなければ×の方へマークしなさい。

ザラ場とは、売買立会の始値の決定方法のことをいう。

株式業務

問23　次の文章が、正しければ○の方へ、正しくなければ×の方へマークしなさい。

株価純資産倍率（PBR）は、株価を１株あたり純資産で除して求めることができる。

株式業務

問24　次の文章が、正しければ○の方へ、正しくなければ×の方へマークしなさい。

個人が売買を行うことができる外国株券は、国内の金融商品取引所に上場されている銘柄に限られる。

株式業務

問25　次の文章が、正しければ○の方へ、正しくなければ×の方へマークしなさい。

顧客が、金融商品取引所の売買立会による売買に係る上場株式の委託注文を行うときには、売り注文又は買い注文のいずれの場合においても、金融商品取引業者に当該注文の有効期間を指示する。

株式業務

問26　次の文章が、正しければ○の方へ、正しくなければ×の方へマークしなさい。

金融商品取引業者は、顧客から株式の売買注文を受託した場合、当該注文に係る売買が成立したかどうかにかかわらず、契約締結時交付書面を当該顧客に交付しなければならない。

株式業務

問27　次の文章が、正しければ○の方へ、正しくなければ×の方へマークしなさい。

私設取引システム（PTS）では、顧客間の交渉に基づく価格を用いる方法で価格を決定することはできない。

株式業務

問28　以下の会社（年１回決算）の株価キャッシュ・フロー倍率（PCFR）として、正しいものの番号を１つマークしなさい。

発行済株式総数	５億株	当期純利益	140億円
減価償却費	40億円	株価	1,512円

（注）答は、小数第２位以下を切り捨て。また、発行済株式総数及び貸借対照表上の数値は、前期末と当期末において変化はないものとする。

1）　22倍
2）　28倍
3）　32倍
4）　38倍
5）　42倍

株式業務

問29　以下の会社（年１回決算）の株価純資産倍率（PBR）及び株価収益率（PER）の組合せとして、正しいものの番号を１つマークしなさい。

（注）答は、小数第２位以下を切り捨て。また、発行済株式総数及び貸借対照表上の数値は、前期末と当期末において変化はないものとし、純資産と自己資本は同額とする。

発行済株式総数	5,000万株
総資産	600億円
総負債	450億円
当期（純）利益	10億円
株価（時価）	800円

	（PBR）	（PER）
1）	0.5倍	20.0倍
2）	1.8倍	8.0倍
3）	1.8倍	40.0倍
4）	2.6倍	20.0倍
5）	2.6倍	40.0倍

債券業務

問30　次の文章が、正しければ○の方へ、正しくなければ×の方へマークしなさい。

外国の政府や法人が日本国内において円貨建で発行する債券のことを、一般に円建外債（サムライ債）という。

債券業務

問31　次の文章が、正しければ○の方へ、正しくなければ×の方へマークしなさい。

日本国外（ユーロ市場）において発行される円建債を、ユーロ円債という。

債券業務

問32　次の文章が、正しければ○の方へ、正しくなければ×の方へマークしなさい。

　ラダー型のポートフォリオとは、短期から長期までの債券を各年度ごとに均等に保有し、毎期、同じ満期構成を維持するポートフォリオである。

債券業務

問33　次の文章が、正しければ○の方へ、正しくなければ×の方へマークしなさい。

　事業債は、地方公共団体が発行する債券である。

債券業務

問34　次の文章が、正しければ○の方へ、正しくなければ×の方へマークしなさい。

　社債管理者とは、社債権者のために弁済を受けるなどの業務を行うのに必要な一切の権限を有する会社であり、銀行、信託銀行や金融商品取引業者が社債管理者になることができる。

債券業務

問35　利率年3.0%、残存期間６年、購入価格106円の転換社債型新株予約権付社債の最終利回りとして、正しいものの番号を１つマークしなさい。

(注)答は、小数第４位以下を切り捨て。

1）　1.886%
2）　2.000%
3）　2.830%
4）　3.773%
5）　4.000%

債券業務

問36　ある個人（居住者）が、額面100万円の長期利付国債を取引所取引により単価103円で購入したときの受渡代金として、正しいものの番号を１つマークしなさい。

（注）経過利子は1,400円、委託手数料は額面100円につき30銭（消費税10％相当額を考慮すること）で計算すること。

1）　1,025,450円
2）　1,028,250円
3）　1,031,900円
4）　1,034,400円
5）　1,034,700円

債券業務

問37　次の条件の転換社債型新株予約権付社債の乖離率として、正しいものの番号を１つマークしなさい。

転換価額　800円
転換社債型新株予約権付社債の時価　100円
転換の対象となる株式の時価　680円

（注）答は、小数第３位以下を切り捨て。

1）　▲17.64％
2）　▲15.00％
3）　▲ 5.88％
4）　15.00％
5）　17.64％

投資信託及び投資法人に関する業務

問38　次の文章が、正しければ○の方へ、正しくなければ×の方へマークしなさい。

委託者指図型投資信託の受託会社は、信託会社又は信託業務を営む認可金融機関でなければならない。

投資信託及び投資法人に関する業務

問39　次の文章が、正しければ○の方へ、正しくなければ×の方へマークしなさい。

投資信託の信託財産に組み入れた有価証券に係る議決権については、投資信託委託会社の指図に基づき受託会社が行使する。

投資信託及び投資法人に関する業務

問40　次の文章が、正しければ○の方へ、正しくなければ×の方へマークしなさい。

契約型投資信託も会社型投資信託も、ファンド自体に法人格はない。

投資信託及び投資法人に関する業務

問41　次の文章が、正しければ○の方へ、正しくなければ×の方へマークしなさい。

投資信託の信託報酬は、投資信託財産の運用管理を行うことに対する報酬である。

投資信託及び投資法人に関する業務

問42　次の文章が、正しければ○の方へ、正しくなければ×の方へマークしなさい。

金融商品取引業者は、投資家に、投資信託を販売した際は、販売後遅滞なく当該投資家に目論見書を交付しなければならない。

投資信託及び投資法人に関する業務

問43　次の文章が、正しければ○の方へ、正しくなければ×の方へマークしなさい。

外国投資信託を日本で販売する場合には、日本で設定された投資信託と同じルールの下で販売が行われる。

投資信託及び投資法人に関する業務

問44　次の文章が、正しければ○の方へ、正しくなければ×の方へマークしなさい。

金融商品取引業者が投資信託について広告を行う場合には、当該金融商品取引業者の登録番号のみを明瞭かつ正確に表示しなければならない。

投資信託及び投資法人に関する業務

問45　次の文章のうち、正しいものの番号を２つマークしなさい。

1）　MMFの決算は毎日行われ、元本超過額が分配される。

2）　MRFの決算は毎月行われ、分配金は毎月末に再投資される。

3）　MMFの販売単位は、１万口（１口１円）である。

4）　MRFは一般的に午前中に解約を受け付け、かつ投資家が当日支払いを希望した場合のみ当日に、それ以外は翌営業日に解約代金が支払われる。

5）　MMFの換金代金の支払日は、換金請求日から起算して４営業日目の日である。

投資信託及び投資法人に関する業務

問46　次の文章のうち、(　　)に当てはまる語句をａ、ｂから正しく選んでいるものの番号を１つマークしなさい。

・(イ)型の発行証券は、市場で売買される。
・(ロ)型の発行証券の買戻しは純資産価格に基づいて、行われる。
・(ハ)型は(ニ)型に比べて、基金の資金量が安定している。

ａ．クローズド・エンド
ｂ．オープン・エンド

1)　イ－ａ、ロ－ｂ、ハ－ａ、ニ－ｂ
2)　イ－ａ、ロ－ｂ、ハ－ｂ、ニ－ａ
3)　イ－ｂ、ロ－ａ、ハ－ａ、ニ－ｂ
4)　イ－ｂ、ロ－ａ、ハ－ｂ、ニ－ａ
5)　イ－ｂ、ロ－ｂ、ハ－ａ、ニ－ｂ

付随業務

問47　次の文章のうち、正しいものの番号を１つマークしなさい。

1)　付随業務に該当するものに貸金業その他金銭の貸付け又は金銭の貸借の媒介に係る業務がある。
2)　付随業務に該当するものに店頭デリバティブ取引がある。
3)　付随業務に該当するものに私設取引システム(PTS)運営業務がある。
4)　付随業務に該当するものに有価証券に関する顧客の代理がある。
5)　付随業務に該当するものに商品市場における取引に係る業務がある。

経済・金融・財政の常識

問48　次の文章のうち、正しいものの番号を２つマークしなさい。

1)　有効求人倍率は、一般に好況期に上昇し、不況期に低下する。

2)　「全国企業短期経済観測調査(いわゆる日銀短観)」は、日本銀行が３ヵ月に一度公表している。

3)　国際収支統計において、経常収支とは、貿易・サービス収支、所得収支及び経常移転収支を合計して求められる。

4)　物価関連指標のうち「GDPデフレーター」は、実質GDPを名目GDPで除して求めることができる。

5)　雇用関連指標のうち「完全失業率」は、労働力人口を完全失業者数で除して求められる。

経済・金融・財政の常識

問49　次の文章のうち、正しいものの番号を２つマークしなさい。

1)　短資会社は、短期金融市場における金融機関相互の資金取引の仲介業務を行っている。

2)　日本銀行が行う公開市場操作では、個別の株式及び国庫短期証券はその対象となる。

3)　国民負担率は、国民所得に対する租税負担の比率である。

4)　日本銀行の金融政策手段としては、①公開市場操作と②預金準備率操作の２つが代表的である。

5)　地方税とは、納税者が地方公共団体を通じて国に納める税金のことをいう。

株式会社法概論

問50　次の文章が、正しければ○の方へ、正しくなければ×の方へマークしなさい。

会社法で定める大会社の範囲は、資本金５億円以上又は負債総額100億円以上の会社とされる。

株式会社法概論

問51　次の文章が、正しければ○の方へ、正しくなければ×の方へマークしなさい。

土地や建物などを対価として株式を発行する(現物出資)ためには、その旨を定款に記載しなければならない。

株式会社法概論

問52　次の文章が、正しければ○の方へ、正しくなければ×の方へマークしなさい。

会社法で定める公開会社は、その発行する全部の株式の内容として、譲渡による当該株式の取得について株式会社の承認を要する旨の定款の定めを設けていない株式会社をいう。

株式会社法概論

問53　次の文章が、正しければ○の方へ、正しくなければ×の方へマークしなさい。

株式会社の解散原因に、株主総会の特別決議がある。

株式会社法概論

問54　次の文章が、正しければ○の方へ、正しくなければ×の方へマークしなさい。

Ａ社がＢ社の議決権総数の４分の１以上を持つときは、Ｂ社がＡ社株を持っていても議決権が認められない。

株式会社法概論

問55　次の文章のうち、正しいものの番号を２つマークしなさい。

1)　株式会社は、株券を発行する旨を定款で定めない限り、株券を発行することはできない。

2)　株主が有する権利のうち、株主の帳簿閲覧権は、単独株主権に含まれる。

3)　株主は、株主名簿の名義が書き換えられるまでは、会社に対して自己が株主である旨を主張することはできない。

4)　取締役会を設置しない会社には、取締役は設置しなくてもよい。

5)　株主総会の決議の内容が定款に違反している場合には、株主は決議の日から６ヵ月以内に訴訟を起こすことにより、その取消しを求めることができる。

財務諸表と企業分析

問56　次の文章が、正しければ○の方へ、正しくなければ×の方へマークしなさい。

貸借対照表とは、一定期間における企業の利益獲得過程を表示するもので、経営成績の一覧が可能である。

財務諸表と企業分析

問57　次の文章が、正しければ○の方へ、正しくなければ×の方へマークしなさい。

当期純利益が同額の企業間において、資本金の額の少ない企業の方が資本金(純)利益率は高くなる。

財務諸表と企業分析

問58　次の文章が、正しければ○の方へ、正しくなければ×の方へマークしなさい。

負債比率は一般に低い方が望ましい。

財務諸表と企業分析

問59　次の式が、正しければ○の方へ、正しくなければ×の方へマークしなさい。

当座比率＝(流動負債÷当座資産)×100

財務諸表と企業分析

問60　次の文章が、正しければ○の方へ、正しくなければ×の方へマークしなさい。

キャッシュ・フロー計算書における「キャッシュ」とは、現金及び現金同等物を意味する。

財務諸表と企業分析

問61　発行済株式総数8,500,000株で損益計算書の金額(単位：百万円)が次のとおりである会社に関する記述として、正しいものの番号を1つマークしなさい。

(注)配当性向は、小数第2位以下を切り捨て。

損益計算書より

売上高	33,200
売上原価	12,700
販売費及び一般管理費	18,900
営業外損益	▲140
特別損益	▲700
法人税、住民税及び事業税	301

1)　1株当たり配当金年5円の場合、この会社の配当性向は2.6%である。
2)　1株当たり配当金年8円の場合、この会社の配当性向は8.9%である。
3)　1株当たり配当金年10円の場合、この会社の配当性向は20.0%である。
4)　1株当たり配当金年15円の場合、この会社の配当性向は30.0%である。
5)　1株当たり配当金年20円の場合、この会社の配当性向は37.0%である。

証券税制

問62　次の文章が、正しければ○の方へ、正しくなければ×の方へマークしなさい。

金融商品取引業者は、特定口座を開設している個人に対し、「特定口座年間取引報告書」を2通作成し、1通を特定口座開設者に交付し、もう1通を自社で保管することが必要である。

証券税制

問63　次の文章が、正しければ○の方へ、正しくなければ×の方へマークしなさい。

居住者が上場株式の配当金について配当控除の適用を受けたい場合であっても、その配当所得について確定申告を行う必要はない。

証券税制

問64　次の文章が、正しければ○の方へ、正しくなければ×の方へマークしなさい。

居住者（発行済株式総数の３％以上を所有する株主を除く）が2024年中に受け取る上場株式の配当金については、その配当所得に対して20.315％（所得税、復興特別所得税及び住民税の合計）が源泉徴収される。

証券税制

問65　次の文章が、正しければ○の方へ、正しくなければ×の方へマークしなさい。

株式など有価証券の売買を事業的な規模で行う継続的取引から生じる所得に関しては、譲渡所得に分類される。

証券税制

問66　次の文章が、正しければ○の方へ、正しくなければ×の方へマークしなさい。

所得税の確定申告をする場合の所得金額計算上の収入金額は、源泉徴収された所得税がある場合には、当該所得税が差し引かれる前の金額（いわゆる税引前の金額）に基づいて計算する。

証券税制

問67　ある個人（居住者）が、上場銘柄Ａ社株式を金融商品取引業者に委託して、現金取引により、下表とおりに、2024年４月から同年６月までの間に10,000株を新たに買付け、同年９月に5,000株を売却した。この売却による所得税及び復興特別所得税並びに住民税の合計金額として、正しいものの番号を１つマークしなさい。

（注）2024年中は、他に有価証券の売買はないものとし、売買に伴う手数料、その他の諸経費等は考慮しないものとする。なお、住民税については、基礎控除等は考慮しないものとする。

年　月	売買の別	単　価	株　数
2024年４月	買い	1,500円	2,000株
2024年５月	買い	1,400円	4,000株
2024年６月	買い	1,300円	4,000株
2024年９月	売り	1,600円	5,000株

1）　80,465円
2）　110,465円
3）　160,465円
4）　223,465円
5）　800,465円

証券市場の基礎知識

問68　次の文章が、正しければ○の方へ、正しくなければ×の方へマークしなさい。

環境や社会的課題を解決するプロジェクトに資金提供する債券のうち、環境にポジティブなインパクトを与えるプロジェクトに資金使途を限定して発行する債券を「サステナビリティ・リンク・ボンド」という。

証券市場の基礎知識

問69　次の文章のうち、正しいものの番号を２つマークしなさい。

1)　第一種金融商品取引業を行おうとする者は、誰でも登録申請を行い登録を受けられる。

2)　有価証券が発行者から直接に、あるいは金融商品取引業者等の仲介者を介して、投資者に第１次取得される市場を「流通市場」という。

3)　証券金融会社は、金融商品取引法に基づき免許を受け、信用取引の決済に必要な金銭又は有価証券を金融商品取引業者（金融商品取引所の取引参加者又は正会員）に貸し付ける業務を行っている。

4)　投資者は、自己の判断と責任の下に投資行動を行う必要があるが、その結果として生じた損失が少額である場合に、金融商品取引業者がその損失を補填することをあらかじめ約しておくことは、投資者保護の観点から、必ずしも不適切な行為とはいえない。

5)　日本証券業協会は、金融商品取引法における自主規制機関の１つに含まれる。

セールス業務

問70　次の「顧客本位の業務運営に関する原則」につき、（　　　）に当てはまる語句として、正しいものの番号を１つマークしなさい。

・金融事業者は、顧客の最善の利益を追求するための行動、顧客の公正な取扱い、利益相反の適切な管理等を促進するように設計された報酬・業績評価体系、従業員研修その他の適切な動機づけの枠組みや適切な（　　　）体制を整備すべきである。

1)　顧客管理

2)　利益相反の適切な管理

3)　販売・推奨等を行う

4)　顧客の最善の利益を図る

5)　ガバナンス